JN215129

まちをつくる　くらしをまもる

公務員の仕事

1. くらしの窓口

協力：足立区役所　編：お仕事研究会

もくじ

●この本の使い方

おもな仕事の内容を、説明します。

役所内の部署名です。
（自治体によって、同じ仕事をしていても部署名が違ったり、担当する仕事のはんいがことなっていたりします。）

国民健康保険にかかわる仕事　国民健康保険課

国民はみな、必ず何らかの健康保険に入ることになっています。国民健康保険に入るときは、地域の役所で手続きを行います。

国民健康保険課の仕事

その部署の仕事内容を、くわしく解説しています。

私たちが病気やケガをしたときに、安心して病院にかかれるようにするため、健康保険という仕組みがあります。

その仕組みを利用するためにおさめる保険料の計算や、保険証の発行（交付）、保険料の支払い

窓口では、国民健康保険にかかわる届けを受付けたり、保険証を交付しています

保険料は、毎年、前の年の収入をもとに計算します。たとえば、2023年１月から2023年12月までの収入を計算して、2024年６月に保険料を決定します。こうして保険料が決まったら、納付書を郵送します。

また、国民健康保険をやめる住民に対しても、住民から届けを受けたら、払い過ぎた保険料がいくらになるかを計算します。

2 保険証を交付する

国民健康保険に加入した住民に、国民健康保険証を交付します。

3 保険料の納付にかかわること

保険料がきちんと納付されているかを確認します。納付されていなかった場合は、払ってもらうよう加入者本人に連絡することもあります。

また、加入者から、払えない事情があり納付の相談を受けた場合には、良い方法を提案するなどていねいに対応します。

コラム　保険証を失くしたら

保険証は、本人を確認するときに使うことのできる大切なものです。その保険証を失くしてしまい、そのままにしておくと、他人に悪用される危険があります。

保険証を失くしたことに気づいたら、すぐ警察に連絡することが大切です。保険証は、役所に届けを出せば、再発行（再交付）できます。

10

4 国民健康保険の仕組み

国民健康保険に加入したら、みんなで保険料を出し合って、いざというときのために積み立てておきます。役所では、みんなの保険料を集めて管理しています。

こうして、病気やケガをしたときに、病院で保険証を見せると、病院でかかるお金の一部を支払うだけで、診察や治療を受けることができます。残りは、国民健康保険から支払われます。

たとえば、治療にかかったお金が1,000円としましょう。保険証で支払いが３割と決められている場合は、病院の窓口で300円を支払います。残りの７割の700円は、国民健康保険が支払ってくれます。

このように、国民健康保険は、みんなで助け合うことを目的とした仕組みなのです。

に加入している方は、国民健康保険には入りません。ただし、会社をやめたら、国民健康保険に加入する必要があります。

6 国民健康保険をやめる人

会社の健康保険に加入することが決まったら、国民健康保険をやめる手続きを行う必要があります。そのほか、加入した方が亡くなったときにも、家族などが国民健康保険をやめる手続きを行います。

● 病院にかかるときは

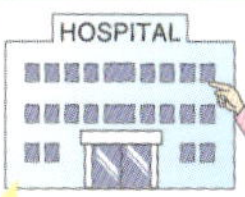

病院などで受診するときは、保険証等を提示します

ミニ知識　国民健康保険からの支給

国民健康保険に加入すると、病院でかかった費用の一部を支払うだけで診察や治療を受けられるだけでなく、ほかにも次のようなときに、国民健康保険からお金が支給されます。
・１カ月で病院に支払った金額が、一定の金額を超えたときに、超えた金額が支給される
・子どもが生まれたときに、出産・育児の費用の補助としてお金が支給される
・加入した方が亡くなったとき、お葬式を行った家族に、費用の補助としてお金が支給される

保険料をおさめていないと、こうした支給を受けられない場合があります。保険料をきちんとおさめることは大切なことなのです。

11

ミニ知識では、この項目で出てくる用語や仕事内容をおもに説明しています。

この部署ではたらいている人に、インタビューをしています。

保険料の納付についてくわしく知ろう

国民健康保険の保険料は、決められた期限内におさめなければなりません。しかし、さまざまな事情で保険料が払えない場合があります。

7 保険料を払わないとどうなるか

役所から郵送される納付書には、保険料の[illegible]と納付期限などが書かれています。しかし、[illegible]期限が過ぎても払わないままだと、いざとい[illegible]きに病院で全額を払わなければならなくなっ[illegible]助け合いの制度が利用できなくなったりしま[illegible]

8 納付が遅れたとき

納付が遅れている方には、役所から「払ってください」という督促状が届きます。納付が遅れると、保険料をまとめておさめることとなり、高額になる場合もあります。

督促状でも納付がない場合は、役所の担当者が電話したりして、本人に事情を聞いて、納付できる方法を一緒に考えます。

その後も納付がない場合は、法律に従って、役[illegible]

役所に事情を相談すれば、その方にとって良い方法を一緒に考えてくれます。役所は、保険料を集めて管理するだけでなく、納付に困った方の相談にものってくれる場所なのです。

● 保険料が下がる場合がある方

会社が倒産して仕事がなくなってしまった方、病気ではたらけなくなった方などは、役所に相談することで、保険料が下がることがあります

コラム　健康保険の種類

医療保険には、自由業や自営業者などを対象とした国民健康保険のほかに、会社員のような勤め人を対象とした協会けんぽや組合健保、公務員などを対象とした共済組合、船員が入る船員保険などもあります。

国が行うべき健康保険の仕事を、代わりに行っているもので、病気やケガをしたさいに保険を給付してくれるのは、国民健康保険と同じですが、取りあつかう組織がちがうので、会社に就職したり、逆に会社をやめたりしたときには、切りかえ手続きをしなければなりません。

はたらく人へインタビュー　国民健康保険をあつかう仕事

はたらいている人の部署名と名前です。
（所属は、2024年３月時点の情報です。）

国民健康保険課滞納整理第二係の赤平憲亮さん

Q1 どんな業務をしていますか？

Q2 公務員になろうとした理由は何ですか？

A 地域とつながる仕事がしたい

以前は、クレジットカード会社ではたらいていました。そのとき、地域が元気になるための仕事にかかわり、もっと地域とつながる仕事がしたいと考えて、公務員になることを決めました。

Q3 仕事のやりがいを感じるときはどのようなときですか？

A 相談者の表情が明るくなったとき

保険料の納付について、住民の方から相談に来ていただけると良いのですが、なかには相談したくないという方もいます。こうした方にも、ねばり強く連絡をとって、一緒に良い方法を考えたいと思っています。

ようやく面談できたとき、最初は暗い表情だった方が、最後には「相談して良かった。何とか生活することができそうです」と、明るい表情になったのをみると、この仕事をやっていて良かったという気持ちになります。

心がけていること　相談者と同じ目線で考えることです

新型コロナウイルス感染症の影響で、収入が減って生活が苦しくなり、保険料の納付が難しくなった人がたくさんいました。そのほかにも、さまざまな事情で保険料がおさめられない人がいます。

こうした人からの相談を受けるときは、その人と同じ目線に立って、困っていること、望んでいることなどを考えるよう心がけています。これは会社員時代に、お客様との信頼関係をつくるために大切だと学んだことです。

信頼関係をつくり、相談者と一緒に、苦しい状況を立て直す方法を考え、解決につなげていくことが、この仕事のやりがいだと感じています。

コラムでは、業務に関連する内容について、情報を補ってくれます。

実際にはたらいている人が「心がけていること」を聞きました。

●区役所の本庁舎と、各部署

足立区の場合、中央館、南館、北館の３棟からなる本庁舎のほか、区内の各所に区民事務所や、福祉事務所などがあっていろいろな手続きをすることができます。ほかに、図書館や清掃事務所、保健所などのように、本庁舎の外にあって、さまざまな仕事をしている部署があります。また、区内には67校の区立小学校と、35校の区立中学校、区立保育所や認定こども園もあります。

足立区内にある警察署や消防署は、足立区ではなく東京都に属する組織ですが、区と連けいしてさまざまな仕事をしています。

● 足立区役所 本庁舎

北館

	エコガーデン	
4階	都市建設部	都市建設課
		事業調整担当課
		高台まちづくり担当課
		ユニバーサルデザイン担当課
		交通対策課（3巻）
		駐輪場対策担当課
	道路公園整備室	道路公園管理課
		安全設備課
		職員労働組合
3階	政策経営部	区民の声相談課 区民相談室(p.30)
	道路公園整備室	東部道路公園維持課（3巻）
		西部道路公園維持課
		パークイノベーション推進課
		道路整備課（3巻）
2階	区民部	国民健康保険課(p.10)
		高齢医療・年金課（p.14）
	あだちワークセンター（ハローワーク足立）	
	喫茶室	
1階	福祉部	福祉管理課
		障がい福祉課
		障がい援護担当課
	高齢者施策推進室	高齢福祉課
		地域包括ケア推進課
		介護保険課
	ATMコーナー	
	北館案内	
B1階	総務部	総務課（車両計画担当）
	食堂	
B2階	駐車場	

中央館

8階	区議会	議場傍聴席
		特別委員会室
	特別会議室	
7階	区議会	議場
		委員会室
6階	区議会	議長室
		副議長室
		各党控室
		区議会控室
		区議会事務局
5階	政策経営部	ICT 戦略推進担当課
		情報システム課
4階	建築室	建築審査課
		建築防災課（3巻）
		開発指導課
		建築調整担当課
		住宅課
		区営住宅更新担当課
3階	福祉部	親子支援課 豆の木相談室
	子ども家庭部	子ども施設指導・支援課
		子ども施設運営課
		私立保育園課
		子ども施設入園課（4巻）
2階	政策経営部	区政情報課
		区政資料室
		産業情報コーナー
	庁舎ホール	
1階	区民部	課税課（p.18）
		納税課
		特別収納対策課
	区民ロビー・赤ちゃん休憩室・喫茶コーナー	
	中央館総合案内	
B1階	施設営繕部	庁舎管理課
	夜間休日受付	
B2、3階	駐車場	

南館

14階	展望レストラン		
13階	大会議室		
12階	会議室		
11階	総務部	契約課	入札室
		特命・調査担当課	
	ガバナンス担当部	ガバナンス担当課	コンプライアンス推進担当課
	環境部	環境政策課	ごみ減量推進課
		生活環境保全課	
	社会福祉法人	足立区社会福祉協議会	
10階	総務部	人事課	
9階	政策経営部	政策経営課	SDGs 未来都市推進担当課
		基本計画担当課（p.38）	財政課
		報道広報課（p.34）	シティプロモーション課
	エリアデザイン推進室	エリアデザイン計画担当課	
	あだち未来支援室	協働・協創推進課	子どもの貧困対策・若年者支援課
	総務部	総務課	資産管理課
		資産活用担当課	
	公共施設マネジメント担当部	公共施設マネジメント担当課	
8階	区長室（p.42）	区長室	副区長室
	総務部	秘書課	庁議室
7階	危機管理部	危機管理課	犯罪抑止担当課
	総合防災対策室	災害対策課（3巻）	防災力強化担当課
		調整担当課	
		防災センター	
	施設営繕部	東部地区建設課	西部地区建設課
6階	教育委員会	教育長室	
	教育指導部	教育政策課	
	学校運営部	学校支援課	
	子ども家庭部	子ども政策課	青少年課（4巻）
	行政委員会	選挙管理委員会事務局	監査事務局
5階	教育指導部	学校 ICT 推進担当課	学力定着推進課
		教育指導課	
	学校運営部	学校施設管理課	学務課（2巻）
		おいしい給食担当課	
	施設営繕部	中部地区建設課（3巻）	施設整備担当課
4階	産業経済部	産業政策課	企業経営支援課
		産業振興課（p.26）	
	都市建設部	まちづくり課（3巻）	
		中部地区まちづくり担当課	
		千住地区まちづくり担当課	
	鉄道立体推進室	鉄道関連事業課	
	一般財団法人	足立区観光交流協会	
	行政委員会	農業委員会	
3階	地域のちから推進部	地域調整課	住区推進課
	生涯学習支援室	地域文化課	生涯学習支援課（2巻）
		スポーツ振興課（2巻）	
	絆づくり担当部	絆づくり担当課	
	公益財団法人	足立区体育協会	
2階	衛生部	衛生管理課	データヘルス推進課
		こころとからだの健康づくり課（2巻）	保健予防課
	会計管理室	会計管理室	
	指定金融機関・ATM コーナー		
1階	区民部	戸籍住民課（p.6）	
	南館案内		
B1階	電気諸室		
B2、3階	駐車場		

●その他

- 小学校（4巻）
  特別支援学級（4巻）
- 中学校（4巻）
- 区立保育所（4巻）
- 障がい福祉センターあしすと（2巻）
- 足立保健所（2巻）
  保健センター（2巻）
- 清掃事務所（3巻）
- 中央図書館（4巻）
- 郷土博物館（4巻）
- 足立福祉事務所
  福祉課（2巻）
- 警察署（5巻）
- 消防署（5巻）

（紫色の網掛け）は足立区以外の組織です。

（※掲載されている情報は、2023年4月現在のものです。）

戸籍や住民基本台帳の仕事

戸籍
住民課

その人が、いつどこで生まれ、どんな家族がいて、誰とどこに住んでいるのかを正しく記録する仕事です。

戸籍と住民基本台帳を正しく記録する

それぞれの人のデータを戸籍と住民基本台帳に正しく記録して管理する仕事です。また、求めに応じてその人の記録の内容を明らかにする証明書を発行しています。

1 戸籍にかかわる仕事

戸籍とは、その人の誕生や死亡、結婚や離婚などを記録するものです。子どもが生まれたときや人が亡くなったとき、結婚や離婚のときに届出を受け、内容を確認し、戸籍に正しく記録しています。

2 住民基本台帳にかかわる仕事

市区町村は、誰がどこに誰と住んでいるか住民基本台帳に記録しています。引越しをしたときや一緒に住む人が増えたり減ったりしたときは、役所や役場に届出が必要です。

3 印鑑登録にかかわる仕事

15歳以上の人は、住所がある役所や役場に、その人の印鑑（はんこ）をひとつ登録することができます。この印鑑は実印といい、大切な契約などで使います。実印を登録したい方の申請を受け、印鑑登録台帳に印鑑を登録しています。

4 証明書を発行する仕事

必要な方に戸籍や住民基本台帳に書かれている内容や登録された印鑑の証明書を発行します。

コラム

印鑑（はんこ）の種類

家や車など大きな買い物をするときに、「実印」を押すことが求められます。これは、本人の意思に基づいて契約することを確認するためです。このとき、実印であることを証明するのが、印鑑登録証明書です。

一方、書類や荷物を受け取るさいに押す印鑑は「認印」といいます。スタンプ印やサインで済むこともあります。また、銀行などに預金口座をつくるときには、「銀行印」を使います。このように大人は場面によって印鑑を使い分けています。

しかし最近では、印鑑が必要な場面は昔に比べて少なくなっています。

戸籍についてくわしく知ろう

戸籍は、日本に国籍がある人の一生を記録するものです。戸籍を見れば、その人がいつ生まれ、結婚や離婚の日付や相手、いつ亡くなったかなどが分かります。

5 戸籍のつくりと戸籍に書かれていること

ひとつの戸籍は、その戸籍が置かれる場所を示す本籍地、最初に書かれている人（筆頭者）とその配偶者（夫又は妻）、その子どもからなります。それぞれの人の生年月日、父と母の氏名、続柄（長男、長女、二男、二女など）が書かれています。子どもが結婚したときや、配偶者と離婚したとき、亡くなったときはその日付と内容が書かれ、その戸籍から除かれます。戸籍に書かれている人が全員除かれても、記録がずっと保管されるので、昔の記録も調べることができます。

6 どんなときに届けるのか

おもに次の出来事について、戸籍に記録されます。

（1）子どもが生まれたとき

子どもが生まれると出生届を出します。出生届には、生まれた日、母、父、子どもの名前などが書かれています。これをもとに母と同じ戸籍に子どもが書かれます。

（2）誰かが亡くなったとき

お医者さんが書く死亡診断書をそえて、死亡届を出します。この死亡届を受けて、亡くなった日と場所、死亡によりその戸籍から除かれたことを記録します。

（3）結婚するとき

結婚するときに、筆頭者の子どもが婚姻届を出すと、夫婦の新しい戸籍をつくります。今までの戸籍には、婚姻で除かれたことを記録します。

ミニ知識

証明書の発行

さまざまな手続きで、証明書が求められることがあります。ここでは、求められることが多いものを紹介します。

1　住民票

正式には住民票の写しといいます。住所を確認できる証明で、運転免許を取るときなどに求められることがあります。その人の名前、住所、生年月日などが書かれています。

2　印鑑証明

実印が確認できる証明です。家や車などの大きな買い物をするときに求められることがあります。印鑑を押したときの形とその人の名前、住所などが書かれています。

3　戸籍謄本

正式には、戸籍全部事項証明書といい、ひとつの戸籍のすべての内容が書かれています。親子や兄弟姉妹などの関係や、亡くなった日にちなどが確認できます。亡くなった人の財産を管理するときや、親族であることを確認したいときに求められます。

いずれの証明も重要な情報が含まれているので、必ず本人であることを確認してから発行しています。本人以外も請求できますが、証明が必要な理由や使う目的、誰が請求するのかを厳しく確認します。

住民基本台帳についてくわしく知ろう

住民基本台帳は、そこに住む人の住所、氏名、生年月日、男女の別などを記録したものです。住民基本台帳は赤ちゃんの予防接種や小中学生の名簿、選挙の投票など、さまざまな場面で活用されています。

7 住民基本台帳に書かれていること

同じ家（マンションやアパートでは、同じ号室）に住む人のまとまりを世帯といい、世帯ごとに、住所、氏名、生年月日、男女の別、世帯主とその続柄などを記録しています。

8 どんなときに届けるのか

引越しをしたときは、世帯の一部、たとえば進学や就職で子どもだけが別のところに住むときも届ける必要があります。たとえば○○市から△△村に引越しをするときは、○○市役所に転出届、△△村役場に転入届が必要です。

なお、戸籍の「婚姻届」「離婚届」で名字が変わったときや、「出生届」「死亡届」で世帯の人数が変わったときでも、住所が変わらなければ届ける必要はありません。これらの戸籍が変わると自動的に住民基本台帳に記載するようになっています。

窓口では、戸籍や住民登録などにかかわる届けを受付けたり、届けの出し方などの相談に対応しています

コラム

外国人の住民基本台帳と戸籍

日本で生活する外国人も年々増えています。3カ月を超えて日本で暮らす外国人は、日本人と同じように住民基本台帳に記録しています。印鑑登録もできますし、必要な方には証明書も発行します。

一方、戸籍は日本に国籍がある人が対象で、日本に住む外国人には戸籍がありません。日本人と外国人の「婚姻届」が出されると、日本人が筆頭者になる戸籍に婚姻の日と相手の氏名や生年月日を記録しますが、外国人の戸籍はつくりません。

はたらく人へインタビュー

戸籍をあつかう仕事

戸籍住民課戸籍届出係の新島るかさん

Q1 どんな業務をしていますか？

A 戸籍の届出を受付けて戸籍に記録する業務

婚姻届や死亡届などを受付けて、書かれている氏名や本籍などが戸籍と同じか、内容が法令に違反していないかなどを確認して、戸籍に正確に記録する業務です。

Q2 公務員になろうとした理由は何ですか？

A 人のためにはたらきたい

就職のとき、いろいろな仕事があり迷いましたが、最終的には人のためにはたらきたいと考えて公務員を選びました。実際に公務員になってみると、考えていた以上に私たちの生活をささえている仕事であることが分かりました。

Q3 仕事のやりがいを感じるときはどのようなときですか？

A 手続きが無事に終わりホッとしたお客様の表情を見たとき

戸籍の届出をするのは、人生で数えるほどしかありません。ほとんどの方が初めてのことなので、何を届けるのか、何を書けば良いのか、必要な書類は何か、分からない方もいます。そのような方に分かりやすくていねいに説明することも、私の大きな仕事のひとつです。

婚姻や出生のような明るい手続きも、死亡などの悲しい手続きもあります。ただ、どの手続きでも、無事に手続きが終わってホッとしたお客様の顔を見たときに、自分がお客様の大切な手続きにかかわることができたというやりがいを感じます。

心がけていること

戸籍を正しく記録することが大切です

戸籍の内容をまちがえると、そのまま記録が残ってしまいます。そのため、届出の内容について、時間をかけて確認することがとても大切です。人名や地名は特に注意が必要で、たとえばサイトウさんのサイの字には、「斉」「齊」「斎」「齋」などいろいろな文字の方がいます。手書きで書かれた数字も、1か7かはっきりしないこともありますので、一文字一文字注意深く確認しています。

戸籍は人生の出来事を証明する大切なものなので、まちがいがないように確認し、正しく記録することを心がけています。

国民健康保険にかかわる仕事

国民健康保険課

国民はみな、必ず何らかの健康保険に入ることになっています。国民健康保険に入るときは、地域の役所で手続きを行います。

国民健康保険課の仕事

私たちが病気やケガをしたときに、安心して病院にかかれるようにするため、健康保険という仕組みがあります。

その仕組みを利用するためにおさめる保険料の計算や、保険証の発行（交付）、保険料の支払い（納付）などがおもな仕事です。

1 保険料を決める

国民健康保険に入るときは、住民が窓口で手続きを行います。住民からの届けを受けたら、保険料を計算します。

窓口では、国民健康保険にかかわる届けを受付けたり、保険証を交付しています

保険料は、毎年、前の年の収入をもとに計算します。たとえば、2023年1月から2023年12月までの収入を計算して、2024年6月に保険料を決定します。こうして保険料が決まったら、納付書を郵送します。

また、国民健康保険をやめる住民に対しても、住民から届けを受けたら、払い過ぎた保険料がいくらになるかを計算します。

2 保険証を交付する

国民健康保険に加入した住民に、国民健康保険証を交付します。

3 保険料の納付にかかわること

保険料がきちんと納付されているかを確認します。納付されていなかった場合は、払ってもらうよう加入者本人に連絡することもあります。

また、加入者から、払えない事情があり納付の相談を受けた場合には、良い方法を提案するなどていねいに対応します。

コラム

保険証を失くしたら

保険証は、本人を確認するときに使うことのできる大切なものです。その保険証を失くしてしまい、そのままにしておくと、他人に悪用される危険があります。

保険証を失くしたことに気づいたら、すぐ警察に連絡することが大切です。保険証は、役所に届けを出せば、再発行（再交付）できます。

国民健康保険についてくわしく知ろう

病院の窓口で見せる「保険証」は、健康保険に入っていることを証明するものです。国民健康保険の保険証を使ったときの病院の支払いの仕組みや、どのような方が国民健康保険に加入するのかを知っておきましょう。

4 国民健康保険の仕組み

国民健康保険に加入したら、みんなで保険料を出し合って、いざというときのために積み立てておきます。役所では、みんなの保険料を集めて管理しています。

こうして、病気やケガをしたときに、病院で保険証を見せると、病院でかかるお金の一部を支払うだけで、診察や治療を受けることができます。残りは、国民健康保険から支払われます。

たとえば、治療にかかったお金が1,000円としましょう。保険証で支払いが３割と決められている場合は、病院の窓口で300円を支払います。残りの７割の700円は、国民健康保険が支払ってくれます。

このように、国民健康保険は、みんなで助け合うことを目的とした仕組みなのです。

5 国民健康保険に加入する人

国民健康保険には、自分でお店を経営している方（自営業の人）や農家の方などが加入しています。一方、会社につとめていて、職場の健康保険に加入している方は、国民健康保険には入りません。ただし、会社をやめたら、国民健康保険に加入する必要があります。

6 国民健康保険をやめる人

会社の健康保険に加入することが決まったら、国民健康保険をやめる手続きを行う必要があります。そのほか、加入した方が亡くなったときにも、家族などが国民健康保険をやめる手続きを行います。

● 病院にかかるときは

病院などで受診するときは、保険証等を提示します

ミニ知識

国民健康保険からの支給

国民健康保険に加入すると、病院でかかった費用の一部を支払うだけで診察や治療を受けられるだけでなく、ほかにも次のようなときに、国民健康保険からお金が支給されます。

- １カ月で病院に支払った金額が、一定の金額を超えたときに、超えた金額が支給される
- 子どもが生まれたときに、出産・育児の費用の補助としてお金が支給される
- 加入した方が亡くなったとき、お葬式を行った家族に、費用の補助としてお金が支給される

保険料をおさめていないと、こうした支給を受けられない場合があります。保険料をきちんとおさめることは大切なことなのです。

保険料の納付についてくわしく知ろう

国民健康保険の保険料は、決められた期限内におさめなければなりません。しかし、さまざまな事情で保険料が払えない場合があります。

7 保険料を払わないとどうなるか

役所から郵送される納付書には、保険料の金額と納付期限などが書かれています。しかし、その期限が過ぎても払わないままだと、いざというときに病院で全額を払わなければならなくなったり、助け合いの制度が利用できなくなったりします。

8 納付が遅れたとき

納付が遅れている方には、役所から「払ってください」という督促状が届きます。納付が遅れると、保険料をまとめておさめることとなり、高額になる場合もあります。

督促状でも納付がない場合は、役所の担当者が電話したりして、本人に事情を聞いて、納付できる方法を一緒に考えます。

その後も納付がない場合は、法律に従って、役所が給料や貯金などの財産を差し押さえる方法をとることもあります。

このように、保険料は必ずおさめなければならないものです。

一方、さまざまな事情で生活が苦しくなり、どうしても保険料をおさめられない方もいます。その人の抱えている事情によっては、保険料が低くなる場合があります。

役所に事情を相談すれば、その方にとって良い方法を一緒に考えてくれます。役所は、保険料を集めて管理するだけでなく、納付に困った方の相談にものってくれる場所なのです。

● 保険料が下がる場合がある方

会社が倒産して仕事がなくなってしまった方、病気ではたらけなくなった方などは、役所に相談することで、保険料が下がることがあります

コラム 健康保険の種類

医療保険には、自由業や自営業者などを対象とした国民健康保険のほかに、会社員のような勤め人を対象とした協会けんぽや組合健保、公務員などを対象とした共済組合、船員が入る船員保険などもあります。

国が行うべき健康保険の仕事を、代わりに行っているもので、病気やケガをしたさいに保険を給付してくれるのは、国民健康保険と同じですが、取りあつかう組織がちがうので、会社に就職したり、逆に会社をやめたりしたときには、切りかえ手続きをしなければなりません。

はたらく人へインタビュー

国民健康保険をあつかう仕事

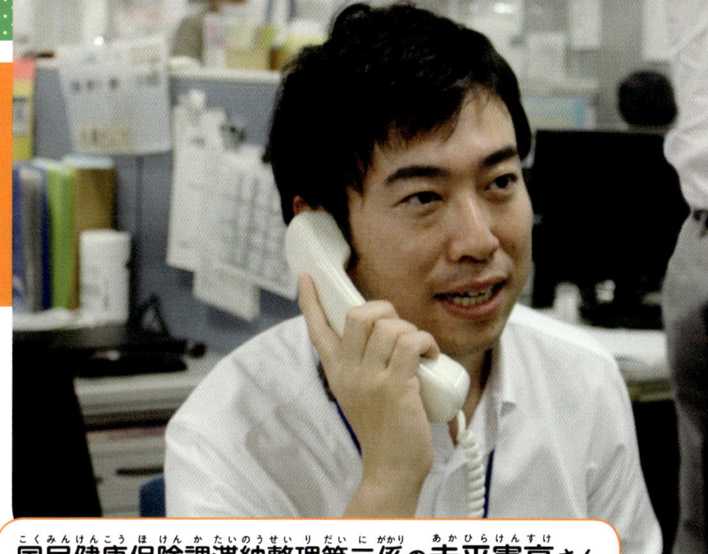

国民健康保険課滞納整理第二係の赤平憲亮さん

Q1 どんな業務をしていますか？

A 保険料の納付にかんする業務

国民健康保険料の納付が遅れている方に、電話をかけたり、直接会ったりして、おさめられない事情を聞き、その方に合った納付計画を立てる仕事です。

Q2 公務員になろうとした理由は何ですか？

A 地域とつながる仕事がしたい

以前は、クレジットカード会社ではたらいていました。そのとき、地域が元気になるための仕事にかかわり、もっと地域とつながる仕事がしたいと考えて、公務員になることを決めました。

Q3 仕事のやりがいを感じるときはどのようなときですか？

A 相談者の表情が明るくなったとき

保険料の納付について、住民の方から相談に来ていただけると良いのですが、なかには相談したくないという方もいます。こうした方にも、ねばり強く連絡をとって、一緒に良い方法を考えたいと思っています。

ようやく面談できたとき、最初は暗い表情だった方が、最後には「相談して良かった。何とか生活することができそうです」と、明るい表情になったのをみると、この仕事をやっていて良かったという気持ちになります。

心がけていること

相談者と同じ目線で考えることです

新型コロナウイルス感染症の影響で、収入が減って生活が苦しくなり、保険料の納付が難しくなった人がたくさんいました。そのほかにも、さまざまな事情で保険料がおさめられない人がいます。

こうした人からの相談を受けるときは、その人と同じ目線に立って、困っていること、望んでいることなどを考えるよう心がけています。これは会社員時代に、お客様との信頼関係をつくるために大切だと学んだことです。

信頼関係をつくり、相談者と一緒に、苦しい状況を立て直す方法を考え、解決につなげていくことが、この仕事のやりがいだと感じています。

国民年金にかかわる仕事

高齢医療・年金課

国民年金は、年をとってからの生活や、病気やケガによって生活や仕事が制限されるようになったときなどに、みんなで暮らしをささえ合うことを目的とした、国の制度です。

国民年金、後期高齢者医療制度の手続きや受付を行う

国民年金は、年をとってからも安心して生活を送ることができるよう、日本に住む人でささえていく国の仕組みです。その国民年金に加入する届出や保険料の免除の申請、国民年金を受け取る手続きの受付をするのがおもな仕事です。

そのほかにも、後期高齢者医療制度にかかわる手続きを行います。

1 国民年金の加入や保険料の免除などを受付ける

国民年金は、政府から任された「日本年金機構」という組織が運営しています。おもに、日本に住む人がおさめる年金保険料を集めたり、それをもとに年金を支給したりするところです。

市区町村の役所のおもな仕事は、住民にもっとも身近な年金の窓口となって、国民年金への加入や保険料の免除申請、国民年金を請求するための書類を受け付け、その書類を日本年金機構に送るところまで行います。

また、住民から年金にかんする相談も受けています。相談にくる住民のこれまでの年金の記録を調べて、その人にとって必要な手続きを分かりやすくていねいに説明します。

2 後期高齢者医療制度にかかわる手続き

後期高齢者医療制度は、75歳以上の高齢者が加入する国の医療保険制度です（65歳から74歳の方で一定の障がいがある方も加入することができます）。後期高齢者医療制度は、75歳未満の人が加入する健康保険制度とは異なります。そのための手続きを行います。

おもな仕事は、保険料の徴収や、保険証等の発行（交付）、保険料の支払い（納付）などの申請や届出の受付です。また、後期高齢者医療制度にかんする問い合わせや相談も受けています。

ミニ知識

年金事務所

年金事務所は、年金をとりまとめている日本年金機構の仕事を分担するために、全国の都道府県につくられています。

年金事務所では、年金にかかわるあらゆる手続きを行っています。同じような手続きを行っている市区町村の年金課は、その地域の住人が対象ですが、年金事務所は、全国どの地域でも手続きを受けることができます。

国民年金についてくわしく知ろう

年金は、20歳になると必ず加入しなければならない国の制度です。世代を超えて、日本に住む人全員で将来の生活をささえていくためのものです。

3 年金制度は2階建て

年金の制度は、「国民年金」と「厚生年金」の2階建ての構造になっています。

1階部分は国民年金で、20歳になったら、だれでも加入するきまりになっています。

2階部分は厚生年金で、会社員や公務員などが加入するものです。つまり、厚生年金に加入している人は、同時に、国民年金にも加入していることになります。

● 市区町村の役所と年金事務所の関係

国民年金の加入などの届出、
保険料の免除の申請などの書類を送付

日本年金機構（年金事務所）

市区町村の役所 年金課

互いに協力

市区町村の役所は、国から任された受付業務を行います。そのあと、日本年金機構が保険料の納付や年金の支払いなどの書類を送付します

● 2階建ての年金

年金の「2階建て」の仕組み

2階 会社員・公務員など（第2号被保険者）
厚生年金

1階 日本に住む20歳～59歳のすべての方
国民年金（基礎年金）

自営業、学生、無職など（第1号被保険者）

会社員、公務員など（第2号被保険者）

専業主婦など（第3号被保険者）

1階部分の国民年金は、20歳以上の日本に住む人全員が加入
2階部分の厚生年金は、会社員や公務員などが加入

4 国民年金は老後のためだけではない

高齢者になったら年金を受け取ることができるというのは、よく知られています。しかし、病気やケガをした人や、はたらき手が亡くなった家族が受け取ることのできる年金もあります。このように、国民年金には、おもに①老齢基礎年金、②障害基礎年金、③遺族基礎年金の3つの種類があります。

ただし、いずれの年金も、きちんと保険料をおさめていなければ、受け取れない場合があります。

5 国民年金の手続き

会社につとめている人は、会社が本人にかわって厚生年金（国民年金を含む）をおさめています。そのため、会社をやめた人は、国民年金の手続きが必要になります。

● おもな国民年金の種類

種類		年金を受け取る人
①老齢基礎年金		保険料をきちんとおさめていれば、65歳から亡くなるまで受け取ることができる
②障害基礎年金		病気やケガで生活や仕事が制限されるようになったときに、受け取ることができる
③遺族基礎年金		親が亡くなったとき、残された家族が受け取ることができる

65歳からも「障害基礎年金」や「遺族基礎年金」を受け取れる場合があります

国民年金の保険料についてくわしく知ろう

年金を受け取るには、まず保険料をきちんとおさめておくことが大切です。おさめた期間によって、受け取る年金の金額も変わります。

6 国民年金の保険料

国民年金の保険料は、年齢や仕事などに関係なく、みな同じ金額（定額）をおさめます。

2024年度の国民年金の保険料は、月額16,980円ですが、保険料は毎年見直しが行われます。

日本年金機構から納付書が届いたら、決められた期限内におさめなければなりません。

7 納付が困難なとき

さまざまな事情で保険料をおさめられない場合は、保険料の支払いを先送りできる制度や、支払いを免除してくれる制度を利用することができます。これらの制度を利用しても、将来、年金をまったく受け取れないということにはなりません。

また、この手続きをしていれば、たとえば、病気やケガをして生活や仕事が制限されるようになったときに、障害基礎年金を受け取ることができます。一方、手続きをせずに未納をつづけていると、障害基礎年金は受け取れなくなってしまいます。

市区町村の役所では、国民年金の保険料が未納になっている方に対して、こうした制度があることをお知らせして、一緒に納付方法を考えていくようはたらきかけています。

8 学生のための納付特例制度

20歳になったら、国民年金の納付書が届きます。しかし、収入のない学生が、毎月保険料を払うのは大変です。奨学金をもらっている人も少なくありません。

そうした学生のために、後から保険料をおさめることのできる「学生納付特例」があります。学生納付特例は、大学、大学院、高等専門学校などに通っている学生が対象です。この制度を利用すれば、10年以内に保険料をおさめれば良いことになっています。つまり、社会人になってから、学生の頃の保険料をおさめることができるのです。

9 自分の年金を知るには

これまで納付した記録や、将来受け取る年金の金額（見込額）を知りたいと思う方も多いでしょう。「ねんきん定期便」といった、記録を知らせる書類が定期的に届くほか、「ねんきんネット」というインターネットを使ったサービスで、自分の年金記録をいつでも確認できます。

コラム

老後の年金の受給資格

老後に年金を受け取るには、以前は、保険料を25年以上おさめていなければなりませんでした。しかし、2017年に年金制度が変わり、10年以上おさめていれば、受け取ることができるようになりました。

ただし、受け取る年金の額は、納付した期間によって変わるので、40年間納付すれば、満額。10年だけ納付した場合は、その1/4しか受け取れない計算になります。

はたらく人へインタビュー

年金手続きを行う仕事

高齢医療・年金課の越中麻里さん

Q1 公務員をめざしたきっかけは？

A 出産・子育てで役所の仕事に興味

自分の出産・子育てのために、役所の制度や住民サービスを調べたことがきっかけで、役所の仕事に興味をもちました。役所は、私たちの身近にあって心強い存在だと分かり、私もそのような仕事がしたいと思い、子育てをしながら公務員試験を受けました。

Q2 どんな業務をしていますか？

A 国民年金の手続きにかんすること

国民年金に加入するときと喪失する（資格を失うこと）ときの手続きや、保険料にかんする手続きを担当しています。

とくに、保険料をきちんとおさめているか確認したい、期日までにおさめられないがどうしたら良いかなど、さまざまな相談を受けたときに、正確でていねいな説明を行うよう心がけています。

Q3 仕事のやりがいを感じるときは、どのようなときですか？

A 感謝の言葉をいただいたとき

届出の書類は書き方が複雑なため、記入のポイントをふせんで貼るなどの工夫をしています。それによって、住民の方から「ありがとう」と言ってもらえると、役所ではたらいていて良かったと感じます。反対に、「こうしてほしい」という言葉も、大切な意見として受け止めています。

Q4 今後の目標は何ですか？

A 外国の方にも分かりやすく伝えたい

外国の方にも年金の仕組みを理解してもらうために、語学力をつけたいと思っています。

心がけていること

年金が受け取れない人をつくらないこと

将来、年金を受け取れない人が出ないようにするための取り組みに、力を入れています。保険料は、納付期限から2年以内におさめることになっていて、未納のままだと、将来、年金を受け取れなかったり年金が少なくなったりします。そこで、窓口に来た人の過去の記録を調べて、未納がある場合は、保険料の金額を減らしたり、時期を延ばしたりできないか検討します。

税金にかかわる仕事

課税課

税金は、住民が安心した暮らしを送るために使われるお金です。地域の役所では、都道府県や市区町村におさめる税金をあつかっています。

地域におさめる税金の計算、納付書の送付を行う

1 税金の金額を決める

地方税には、住民税、たばこ税、軽自動車税などがあります。なかでも、住民に身近なものが住民税です。課税課では、住民の1月から12月までの収入をもとに、税金がいくらになるかを計算します。また、会社は従業員の住民税をおさめる必要があるため、会社から提出された書類をもとに住民税を計算します。

税金の金額が決まったら、5月以降に納付書を送ります。

納付書が届いた住民や会社は、決められた金額を期限までにおさめます。

納付書を送ったあとも、住民や会社から提出された書類について、もっとくわしく調べることもあります。調査によっては、すでに送った納付書の金額が変わることもあります。その場合は、変更した金額を計算して、改めて住民や会社に通知する作業も行います。

● 足立区課税課で取りあつかっている税目

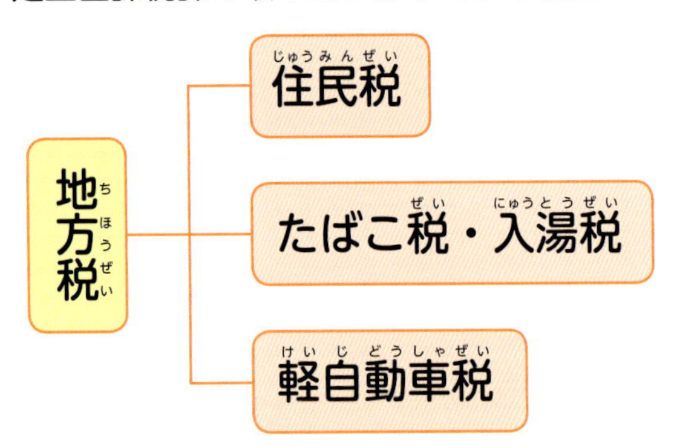

2 税金の問い合わせを受ける

税金の金額を決めるために、住民や会社から必要な書類を出してもらうことになります。しかし、書類の内容や出し方が分からないといった問い合わせがあったときは、分かりやすく説明することも大切な仕事です。

また、受け取った納付書の金額が、「なぜ前年よりも高くなったのか分からない」という人もいます。金額が高くなる理由は一人ひとり異なりますので、税金の仕組みや高くなった原因などをくわしく説明します。

3 証明書を発行する

家や車を買ったりするときや、子どもを保育園に入れるなどの地域のサービスを申請するときに、その人の収入がいくらなのかを証明する書類（課税証明書）が必要になります。住民から申請を受けたら、その証明書を発行します。

住民税の納付書送付に向けて、1～5月までが特に忙しい時期です

住民税についてくわしく知ろう

私たちが利用している道路や公園、学校などは、国や都道府県・市区町村がつくったり、整備したりしています。それには、たくさんの費用が必要となります。その費用には、みんなで出し合う「税金」が使われています。

4 税の種類

税金は大きく分けて、国に払う税金（国税）と、都道府県や市区町村に払う税金（地方税）の２つがあります。

5 住民税は地域のために使われる

地方税のなかで、もっとも身近な税が「住民税」です。住民税とは、その地域に住む人が直接おさめる税金のことです。

住民税の使いみちは、保育園や学校をつくったり、道路や公園などを整備したり、救急車や消防車を出動させたり、ごみを回収したりするなど、住民の暮らしを良くするために使われます。

もし、住民税がなかったら、どうなるか想像してみてください。

たとえば、道路がこわれても整備ができず、事故が起こるかもしれません。急病で救急車を呼んでも来てもらえず、命の危険にさらされるかもしれません。また、ごみを回収してもらえないと、まちのなかがごみであふれるかもしれません。そのようなまちにならないために、住民税は必要な税金なのです。

● **住民税の使いみち**……住民税は、生活に身近な公共の施設やサービスのために使われます

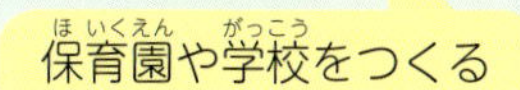

保育園や学校をつくる

道路や公園を整備する

ごみを回収する

ミニ知識

たばこ税

たばこは、食料品などの生活に必要なものとは異なり、吸う人と吸わない人に分かれます。そこで、たばこを売っているお店に、たばこ税を払ってもらいます。お店で売っているたばこの金額には、この税金が含まれているので、結果として、たばこを吸う人が税金をおさめていることになります。

6 住民税をおさめる人

住民税をおさめるのは、その地域に住んでいて収入がある人です。また、会社も従業員の住民税を住んでいる地域におさめる必要があります。

住民税の金額は、その人の前の年の収入をもとにして、役所の課税課が計算します。収入がたくさんあった人は、住民税も多くなります。反対に、収入がとても少なかった人は、住民税をおさめなくて良い場合もあります。

子どもは、ふつうは収入がないので、住民税をおさめる必要はありません。しかし、学生であっても、アルバイトなどでたくさんの収入があった場合は、住民税をおさめなければなりません。

このように、住民税をおさめる必要があるかどうか、おさめる場合はいくらになるのかを計算するのが、課税課の仕事です。

● 住民税のながれ

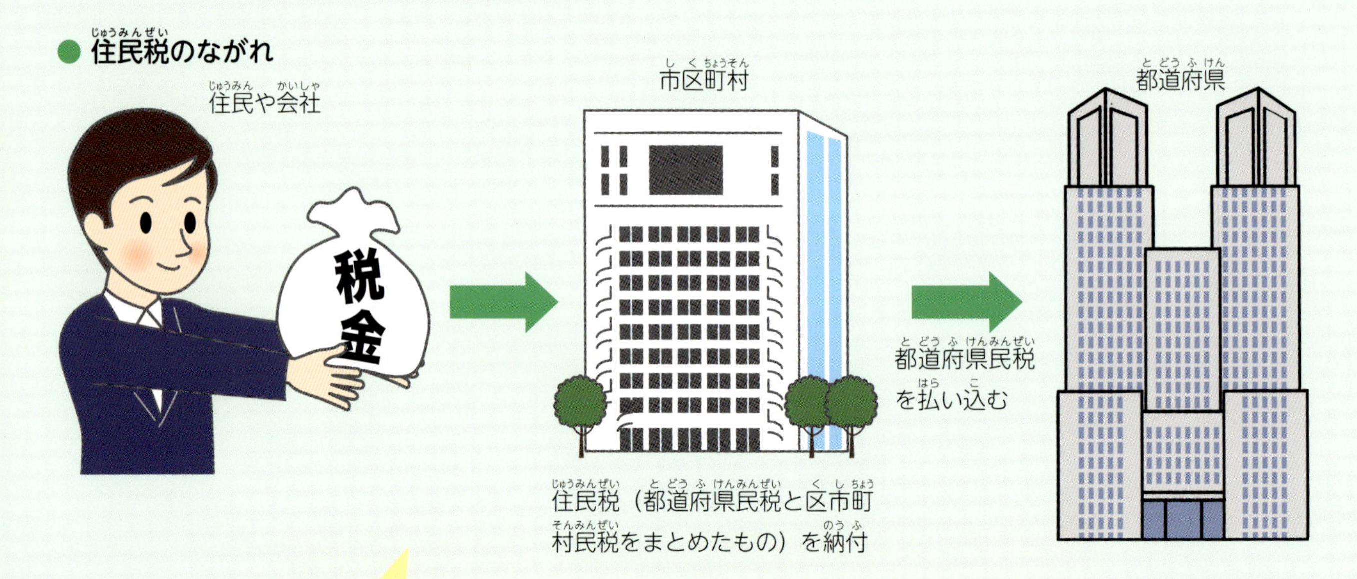

住民税は、都道府県民税と区市町村民税をまとめたもの。住民や会社は、市区町村に住民税を納付し、都道府県民税は市区町村から都道府県へ払い込まれる

コラム

子どもも税金をおさめている

税金は大人がおさめるものと思っていませんか？　実は、子どももおさめている税金があるのです。それが消費税です。消費税とは、モノを買ったり、サービスを受けたりしたときにかかる税金のことです。

たとえば、100円のノートを買いたいときは、レジで110円を払うことになります。これは、100円のノートに対して、10％の消費税（100円×0.1＝10円）を一緒に払っているためです。

消費税は、商品を買ったり、いろいろなサービスを受けたりしたときなどにかかるもので、子どものうちから税金をおさめていることになるのです。

この消費税の10円は、お店がまとめて国におさめる決まりになっています。

はたらく人へインタビュー

住民税をあつかう仕事

課税課課税計画係の飯島直松さん

Q1 どんな業務をしていますか？

A 住民税の金額を決める業務

住民税の計算に必要な書類を確認したり、住民から申告のあった書類を受付けるなどして、6月までに、その年の住民税の金額を決める仕事をしています。また、税金の問い合わせや証明書の発行などを受付ける窓口業務も担当しています。

Q2 公務員になろうとした理由は何ですか？

A より身近な人を助けたい

2011年3月11日、東日本大震災が起こったとき、私は高校3年生でした。そのとき、住民のためにはたらく自衛隊員の姿に心を打たれ、人を助ける仕事がしたいと、自衛隊の事務の仕事を選びました。その後、もっと身近な人を助けたいと思い、住民と直接ふれあうことのできる区役所に転職しました。

Q3 仕事のやりがいを感じるときはどのようなときですか？

A 力を合わせて目標を達成したとき

税金を決める作業は、1月から半年かけて行います。税金を決めるには、たくさんの書類を調べなければなりません。また、税金という大切なお金をあつかっているので、ミスがあってはいけません。そこで、多くの職員と協力しながら、ていねいに進めていきます。そうして、みんなで力を合わせて6月の税金の決定に間に合ったとき、目標を達成したという達成感を得ることができます。

心がけていること

分かりやすく、正しく伝えることを大切に

住民税などの税金の仕組みは、住民にとって分かりにくいものです。問い合わせがあったときは、分かりやすく、そして正しく説明することを心がけています。

税金の決め方は法律で定められているので、私自身が最新の法律を知っておかなければなりません。研修などを受けながら、つねに勉強を続けています。

消費生活を見守る仕事

産業政策課 消費者センター

消費者センターは、消費者トラブルなどの相談窓口になっているところです。また、暮らしに役立つ情報も提供しています。

消費者の相談窓口

消費者センターは、買い物をした商品やサービスなどで、トラブルがおきたときにさまざまな苦情相談を受ける相談窓口で、消費者関連の法律に基づいて、アドバイスをしたり、必要に応じてお店との間に入って交渉したり、トラブルの解決に向けたお手伝いを行う場所です。また、消費者トラブルに対して注意を呼びかける活動などを行っています。

1 消費者からの相談を受ける

消費者センターでは、商品を買った人（消費者）と、売った相手との間に問題がおきたときや、商品が原因で事故にあったときなど、さまざまな相談に対応しています。

相談方法は、住民が直接窓口に来るほか、電話やインターネットを使った相談も受付けています。

住民からの相談には、専門の資格をもった消費生活相談員がくわしく内容を聞き、解決するためのアドバイスを行います。また、相談窓口を紹介することもあります。

このように、消費者センターは、消費者がトラブルを解決できるよう、お手伝いするところです。

2 消費者トラブルの注意を呼びかける

消費者トラブルにあわないためには、消費者トラブルの手口や対処方法を知っておくことが大切です。消費者センターでは、相談が多い消費者トラブルについて、多くの方に知ってもらうために、講座を開いたり、チラシをつくったりして、注意を呼びかけています。消費者トラブルにあう方を減らすことも消費者センターの大切な仕事です。

3 消費者団体の活動をささえる

消費生活問題にかんする地域に根ざした活動を継続的に行っている団体（消費者団体）に対し、情報提供や活動の場の提供などを通して、活動をささえています。

また、区で開催されるイベントでも、消費者センターを案内する啓発を行っています。写真はあだち区民まつり「A－Ｆｅｓｔａ」での啓発活動の様子です

消費者についてくわしく知ろう

「消費者」とは、商品を買ったり、サービスを利用したりした人のことです。

4 消費者になるのはどんなときか

子どもでも、お金を払ってお菓子や本を手に入れたときは、消費者になります。また、電車やバスにお金を払って乗った場合も、電車やバスのサービスを利用したことになるので、消費者になります。スマートフォンを使う場合も、契約して利用しているので、消費者にあてはまります。

5 買い物は「契約」

私たちが商品を買ったり、サービスを利用したりするのは、すべて「契約」にもとづいています。契約とは、法律で決められた約束のことです。契約は、商品を買う人と売る人の意思が一致することで成立します。契約が成立すると、どちらか一方の都合で取りやめることはできません。

たとえば、ある店でノートを買ったあと、ほかの店でもっと気に入ったノートを見つけたので、ノートを返品したいと思ってもできないことがあります。つまり、自分の都合だけで契約を取りやめることはできないのです。

6 契約が守られなかったら

なかには、契約がきちんと守られないために、トラブルになることがあります。

たとえば、インターネットでゲームソフトを注文して、お金をふりこんだのに商品が届かず、連絡も取れなくなることがあります。そのようなときにどうしたら良いかを相談するところが、消費者センターです。

● 契約の仕組み

消費者は、お金を払って、商品を受け取ります。一方、商品を売る人は、お金を受け取ったら、商品を渡します。これで契約が成立したことになります

ミニ知識

現金を使わない買い物方法

おさいふにお金（現金）がなくても、支払いができる方法があります。

- 電子マネー：お金をチャージ（データに変える）して、その金額分だけの買い物ができる。
- プリペイドカード：前もって利用金額の決められたカードを買い、その金額分だけの買い物ができる。
- スマホ決済：スマートフォンにクレジットカードや銀行口座を登録しておき、お金を払うときに使う。

便利な方法ですが、お金の流れが目に見えないため、つい使いすぎる危険があります。使った金額をメモしておき、お金を管理するようにしましょう。

消費者トラブルについてくわしく知ろう

世のなかには、消費者をだましてお金をとる悪い人たちがいます。消費者センターでは、相談の多いトラブルについて、チラシをつくったり、講座を開いたりして、住民に注意するよう伝えています。

7 よくあるトラブル：屋根の修理

突然、家にやってきた業者が、「無料で屋根の点検をしてあげる」と言い、点検後、「今すぐ修理しないと大変なことになる」と不安をあおって、工事の契約を結ばせる手口が増えています。とくに、高齢者のひとり暮らしが狙われることが多くなっています。

「しつこくて怖いので契約してしまったが、断りたいけど、どうしたら良いか分からない」というときなどは、消費者センターに相談すると、解決方法をアドバイスしてくれます。

また、こうしたトラブルを防ぐための方法も、消費者センターで教えてくれます。

8 よくあるトラブル：健康食品の買い物

テレビやインターネットの通信販売で、健康食品をおためし価格で1回だけ申し込んだつもりが、翌月も送られてきて、契約をやめられないというトラブルもよくあります。

消費者センターでは、購入する前に、定期購入の条件がついていないかなどの契約内容や、契約をやめるときの条件などを確認するよう、消費者に呼びかけています。

9 国全体で消費者を守る

消費者センターによせられた相談やトラブルの情報はすべて記録しています。全国の消費者センター間で、よせられた情報を共有するようになっていて、共有され集まった情報をもとに、トラブル被害の未然防止・拡大防止への啓発や法整備などに役立てています。

● よくある消費者トラブル

無料点検して不安をあおり工事契約をむすばせる

消費者センターでつくったチラシ

コラム

国民生活センター

独立行政法人国民生活センターは、国の機関（所管：消費者庁）で、都道府県や事業者の団体等への要望や情報提供、消費者センター等への地方支援、消費者への注意喚起などを行うところです。

よく、新聞やニュースなどで発表されている消費者トラブルなどの数字は、国民生活センターが発表しているものです。そのデータのもととなる情報は、都道府県や市区町村の消費者センターが報告したものであり、国民生活センターと消費者センターは、つねに連絡を取り合っているのです。

はたらく人へインタビュー

消費者センターの仕事

産業政策課消費者センターの永津好香さん

Q1 どんな業務をしていますか？

A イベントや講座の企画など

よせられる相談の傾向を元に、消費者に向けたイベントや講座を企画・開催したり、チラシなどで情報提供をしたりしています。最近増えている消費者トラブルの紹介など、消費生活にかんするものがテーマです。また、製品の事故の報告や商品の表示の検査も行っています。

Q2 とくに印象に残っている仕事は？

A 初めて開催したスマホ講座

最近はスマートフォンをもっている高齢者も増えており、それによるトラブルも増えています。

コロナワクチン接種のネット予約に困っている高齢者向けのスマートフォン講座を開催しました。初めて企画し、講師をつとめた講座でしたが申し込みが多く、関心が高い内容だということが分かりました。準備は大変でしたが、参加者のよろこぶ姿を見て開催して良かったと思いました。

Q3 やりがいを感じるときは、どのようなときですか？

A 苦労したチラシが役立ったとき

２カ月に１回発行しているチラシでは、増えている消費者トラブルを中心に紹介しています。伝えたい内容が多くて、文字数を減らすのが大変でした。まず、見てもらうことが大切なので、デザインも上司や先輩、他部署の人にも意見を求めてつくりました。

そうした苦労はありますが、チラシを見て相談に来ていただいたり、もっとチラシをもらいたいと電話をいただいたりすると、作成して良かったとやりがいを実感します。

心がけていること

新しいことに取り組む仕事も多くあります

公務員の仕事は、毎年同じことをすると思っている人が多いのではないでしょうか。でも、消費者センターでは、みなさんからよせられる相談に合わせて、去年よりもっと消費者のためになる情報を伝える方法は何が良いかと、いろんな企画を考えています。新しいことに取り組む仕事も多いことを知ってほしいと思います。

産業支援にかんする仕事

産業振興課

地域の産業（商業、工業、農業）が元気になれば、はたらきたいという人も増えて、地域全体の発展につながります。

地域の商業、工業、農業をささえる

地域の商業や工業、農業がもっとさかんになるよう、さまざまな支援を行っています。実際に商店や工場、農家の人と会って、どうすれば経営がもっと良くなるかを一緒に考えていく仕事です。

1 地域のお店を元気にする

商店街には、八百屋、魚屋、本屋、飲食店など、私たちの身近な買い物や飲食ができるお店が並んでいます。それらのお店が協力して、たくさんのお客さんが集まるようなイベント（お祭りやセールなど）を行うときに、役所が費用の一部を補助して、商店街の活動を後押しします。

そのほかにも、商店街の街路灯を整備したり、管理したりする費用の一部も補助しています。

このように、商店街が元気になり、買い物や飲食をする住民にも喜んでもらえるような支援を行っています。

2 人と「ものづくり」をつなげる

地域には、さまざまな「もの」をつくっている製造業の会社がたくさんあります。ものづくりの会社が、得意とする技術をいかして、より良い製品をつくるために、経営を応援する補助金や、製品を知ってもらう見本市の出展の費用を補助しています。

また、地域の製品の紹介や販売をするイベントや、ものづくりの現場の見学・体験会などを開いて、住民にものづくり産業を身近に感じてもらう取り組みも行っています。

3 農地・農業を守る

都市部の農地は減りつつありますが、農地は、住民が自然に触れることのできる大切な場所でもあります。その農地でつくられた野菜や花などは、採れたてを住民に販売することができます。また、地域の学校の給食にも使われています。

このように、農地や農業は、地域の大切な資源です。それを守っていくために、農家の人に対して、農業を続けやすいような制度の紹介や手続きについて説明したり、ビニールハウスなど必要な設備を整えるときに、費用の一部を補助します。

ほかにも、農家から農地を借りて、住民に区民農園として貸し出し、管理するのも仕事です。

北千住宿場町通り商店街は70年以上の歴史があります

商店街についてくわしく知ろう

4 商店街が抱える悩み

商店街は、小さな専門店が集まった通りのことです。まちの中心部にあり、買い物の場だけでなく、地域住民の大切なコミュニケーションの場にもなっています。ところが、近くに大型のお店ができると、大型店で買い物をする人が多くなり、商店街に来る人が減ってしまうという悩みが生まれます。

商店街に来る人が少なくなると、お店の経営がうまくいかなくなったり、やめてしまうお店も出てきてしまいます。商店街の元気がなくなると、まち全体の元気もなくなってしまいます。

そこで、商店街では、にぎやかで活気のある場になるよう、商店街の環境を整えたり、イベントを行ったりしています。役所も、さまざまな形で取り組みを後押ししています。

5 地域を元気にするイベントや事業

商店街が行うイベントには、サマーセール、歳末セール、大売り出し、クリスマスなどの季節のイベントなどがあります。また、商店街で使える商品券を販売する事業も行っています。これらは、商店街に限らず、住民にも「お得」があるため、地域全体が元気になる取り組みです。

こうした取り組みは、商店街や商店街振興組合連合会が中心となって行います。ただ、チラシや商品券を印刷したり、くじ引き場所をつくったりするにはお金がかかります。そこで、役所が補助金を出して、このような取り組みを応援しています。

6 商店街の街路灯を管理する

独自の街路灯を設置している商店街があります。商店街の街路灯は、お客さんを呼び込むためだけでなく、夜暗い道を歩いて帰る住民のための安全を守る役目もはたしています。

その街路灯が古くなっていたり、壊れていると、住民は不安になってしまいます。街路灯による事故が起こらないよう、街路灯を修理したり、建て替えたりするときに、役所が補助金を出して支援します。

● 商店街応援券

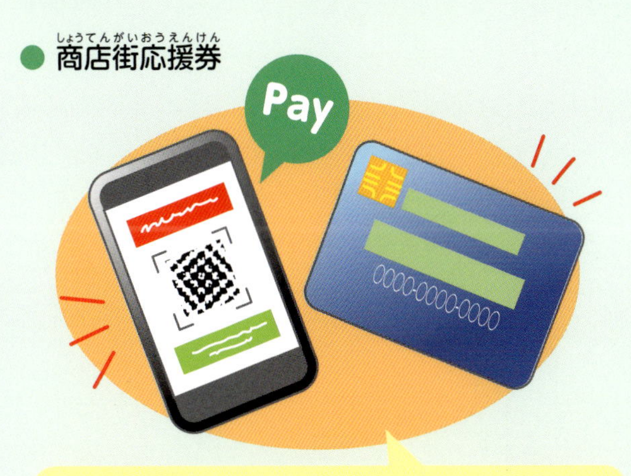

商店街での買い物を増やす、キャッシュレス決済を広げる、地域を元気にするなどの目的で行われます

ミニ知識

キャッシュレス決済

キャッシュレス決済とは、現金を使わなくても、買い物ができる方法です。クレジットカードや電子マネー、スマホ決済などの支払い方法があります。キャッシュレス決済は、お店にとって、会計の作業がなくなる、現金を置かなくても良く防犯対策になる、新しいお客が増えるなどの良い点があります。

産業振興課

「ものづくり」についてくわしく知(し)ろう

ものづくりとは

ものづくりは、新(あたら)しい技術(ぎじゅつ)や伝統的(でんとうてき)な技法(ぎほう)を使(つか)って「もの（製品(せいひん)）」をつくるだけでなく、その製品(せいひん)を売(う)る方法(ほうほう)を工夫(くふう)したり、新(あたら)しい製品(せいひん)を考(かんが)えたりすることも含(ふく)まれます。

ものづくりブランド

ものづくりの会社(かいしゃ)や職人(しょくにん)さんたちを応援(おうえん)するため、都道府県(とどうふけん)や市区町村(しくちょうそん)の役所(やくしょ)が、「ものづくりブランド」の取(と)り組(く)みを行(おこな)っています。たとえば、足立区(あだちく)では「足立(あだち)ブランド」という名前(なまえ)がついています。

ブランドに認(みと)めてもらうためには、高(たか)い技術(ぎじゅつ)やオリジナルの製品(せいひん)をもっていること、たくさん販売(はんばい)されていることなど、決(き)められた条件(じょうけん)を満(み)たす必要(ひつよう)があります。

認(みと)められたら、製品(せいひん)や技術(ぎじゅつ)を紹介(しょうかい)するパンフレットやホームページにのったり、大(おお)きな展示会(てんじかい)に出展(てん)するときに、費用(ひよう)の援助(えんじょ)を受(う)けたりすることができます。

住民(じゅうみん)とふれあう場(ば)

地域(ちいき)の製品(せいひん)や技術(ぎじゅつ)を紹介(しょうかい)する場(ば)として、役所(やくしょ)に製品(せいひん)を展示(てんじ)したり、フェアなどが開(ひら)かれています。また、住民(じゅうみん)がものづくりの現場(げんば)を見学(けんがく)したり、体験(たいけん)することのできるイベントも行(おこな)われています。

住民(じゅうみん)にものづくり産業(さんぎょう)を知(し)ってもらうと同時(どうじ)に、将来(しょうらい)、「ものづくりの仕事(しごと)がしたい」という人(ひと)を増(ふ)やすきっかけづくりにもなっています。

足立区の良いものが足立区役所に集まります。
作り手にお尋ねいただきながら、お買い物をお楽しみください。
お値打ち価格で販売します。
お誘い合わせの上、ご来場ください。

◆足立伝統工芸品展　※クレジットカード使用OK

	出展者（足立区伝統工芸振興会）	主な出展品（予定）	11(月)	12(火)	13(水)	14(木)	15(金)
江戸刺繍	柿崎 譲治	しおり、色紙	○			○	
	辻口 良保	バッグ、アクセサリー	○				○
	渡邊 雅子	ブローチ、帯留	○			○	
江戸木彫刻	佐藤 岩慶	置物、アクセサリー				○	○
	佐藤 義光	根付（[illegible]）、パズル	○				○
	渡邉 宗雲	干支置物、梵字ストラップ				○	○
東京打刃物	助久刃物㈱	鋼・ステンレス製包丁				○	○
東京銀器	坂巻 孚	玉盃、銀製指輪	○				○
東京手植ブラシ	ブラシの平野	ヘアブラシ、洋服ブラシ				○	○
東京籐工芸	竹本 義道	籐小物入れ	○				○
	山室 勤	座敷椅子、スツール				○	○
東京仏壇	鷹栖 忠明	仏壇（屋久杉・ウォールナット）、経机				○	○
東京本染ゆかた・てぬぐい	阿部 晴吉	てぬぐい				○	○

作品展示　江戸木目込人形（松崎 光正）、江戸和笛（大塚 敦）、東京三味線（有美鈴屋三味線店）

◆あだち地場工業製品フェア

出展者（足立区工業会連合会）	主な出展品（予定）	11(月)	12(火)	13(水)	14(木)	15(金)
東京都印刷工業組合足立支部	沿線グラス、本のみみノート	○	○			
㈲カズスタイル	国産ガーゼ製品（バスタオル・ベビー服）	○		○		
シバ製靴㈱	紳士靴、婦人靴		○	○		
㈱トーヨー	折り紙				○	○

同時開催
◆第52回 足立区冬花品評展示会
(1) 一般観覧 12月12日(火) 午後1時から 13日(水) 正午まで
(2) 販売会 12月13日(水) 午後2時30分から ※売り切れ次第終了
※12月14日(木)以降は、受賞した冬花を展示予定
主催：足立区／後援：JA東京スマイル足立花卉部会

梅島駅から徒歩約12分
都営バス出発点：北千住駅・竹ノ塚駅、王子駅・浅草雷門 他
足立区役所・足立区役所前 下車
足立区役所 中央館1階 アトリウム

ホームページはこちら

お問い合わせ 産業振興課 ものづくり振興係
03-3880-5869（平日午前8時30分から午後5時）

足立区(あだちく)の伝統工芸品(でんとうこうげいひん)や工業製品(こうぎょうせいひん)を展示(てんじ)・販売(はんばい)するイベントです。産業振興課(さんぎょうしんこうか)ものづくり振興係(しんこうがかり)が中心(ちゅうしん)となって進(すす)めます

はたらく人へインタビュー

ものづくり支援の仕事

産業振興課ものづくり振興係の茶谷成昭さん

Q1 どんな業務をしていますか?

A イベント事業、補助金の相談・受付など

ものづくりの会社と一緒に、ものづくり体験や工場見学会などのイベントを企画し、チラシやホームページもつくっています。当日、工場の方に代わって、参加者への見学説明を行うこともあります。会社の経営を応援するための補助金の相談や申請の手続きも担当しています。そのとき、どうすれば会社が良くなるかを、一緒に考えていきます。

Q2 仕事のやりがいを感じるときはどのようなときですか?

A 自分の企画で得られる達成感

イベントは、自分で企画し、参加する会社と話し合いながら進めていきます。スケジュールに追われる仕事ですが、イベントに参加した人から「楽しかった」「参加して良かった」といっていただけると、大きな達成感があります。

役所のロビーを2週間貸し切って開催したイベントも、準備が大変でしたが、無事に終えたときは、やりきったことが自信につながりました。

Q3 とくに印象に残っていることは?

A 身近な人に喜ばれる仕事に誇り

補助金の説明のために訪問した会社の方が、たまたま私の家族と顔見知りでした。役所の仕事をしていると、とても身近な人と接することがあるのです。そして、その方が私の補助金の説明を聞いて笑顔になったのを見て、私もうれしくなりました。

私が役所の仕事を選んだのは、身近な人の生活に貢献したいと思ったからです。それを実現できているのだと感じた出来事でした。

心がけていること

大切な補助金だから、ミスをしないように

補助金は、会社の経営を良くするための大切なお金ですから、申請書類の確認でミスがないよう心がけています。そうして、補助金を受け取った会社から、「補助金のおかげで経営が良くなった」という声をいただくと、ホッとするとともに、地域のみなさまの役に立てたと、うれしくなります。

住民の相談や声を聞く仕事

区民の声相談課

役所では、住民のための無料相談を行ったり、住民の意見・要望を受付けています。また、役所での手続きや生活情報などを問い合わせできるコールセンターもあります。

身近な問題の相談窓口

役所では、住民の悩みや疑問について、無料で相談ができる窓口があります。

1 無料相談の手続きを行う

区民の声相談課では、生活の悩みごとや相続、離婚、借金などの一般的な手続きや、人権、事故や契約などの相談を受付けています。

相談したい住民は、役所の窓口や電話などで相談します。一般相談であれば行政書士や相談員から、専門相談の場合は、専門家からアドバイスを受けることができます。

職員のおもな仕事は、相談の受付や案内、専門相談の予約、相談員や専門家との連絡などです。

2 一般相談とは

日常生活の困りごとや、相続などの制度や手続きについての一般的な相談などができます。

困っていることがあるけれども、「どこに相談したら良いか分からない」「何から始めて良いか分からない」などと悩んでいる場合は、最初に相談すると良いでしょう。

ここで相談内容を整理できれば、どのような人に相談すれば良いかが分かってきます。さらに必要なら、専門家による専門相談（法律相談、相続・登記相談、不動産相談、税務相談など）を受けることができます。

ミニ知識

相続登記にかんする相談

亡くなった方の財産のひとつである不動産を相続したときの手続きをしていないために、所有者が分からなくなり、空き家や土地の利用が進まなかったり、災害時の復興が遅れたりする大きな要因となっています。

たとえば空き家を放置しておくと、壁が崩れたり、草木が道にはみ出して近所迷惑になったり、治安の悪化にもつながります。

そこで、2024年４月から、相続した不動産の名義変更手続きが義務化され、手続きをしていないと罰則を受ける制度に変更されました。

このため、「家族が亡くなり不動産を相続したが、手続きをどうすれば良いか」という相談が増えています。

3 専門相談とは

法律、交通事故、家・土地の登記、税金、社会保険や労働、人権にかんする相談などがあります。それぞれ資格をもった専門家などの専門相談員が対応します。

専門相談員はいつも役所にいるわけではないので、前もって予約する必要があります。

4 解決のためのお手伝いをするところ

役所の無料相談は、相談者自身が問題を解決するために必要な情報提供や助言を行うところです。担当した相談員が、直接、問題を解決することはできません。

相談を行う前に、これらの約束事を相談者に理解してもらうことも、職員の大切な仕事です。

コールセンターに問い合わせてみよう

「役所のどこに問い合わせたら良いか分からない」という方は、コールセンターに問い合わせることができます。

5 コールセンターへの問い合わせ

足立区では、「代表電話」のほかに「お問い合わせコールあだち」という名前で、役所のさまざまな手続きやイベント情報、施設案内などについて、電話やＦＡＸ、メールなどで直接答えるサービスを行っています。

問い合わせを受けるオペレーターは、民間会社のスタッフです。職員は、オペレーターが正しく回答できるように、コールセンターと日々情報共有を行っています。

6 受付から回答までの流れ

役所のコールセンターには、さまざまな問い合わせがよせられます。

問い合わせは、電話、ＦＡＸ、メールで対応しています。オペレーターは、担当の部署がつくったＱ＆Ａを参考にしながら回答します。

「お問い合わせコールあだち」では、日本語のほか、英語、中国語、韓国語、ポルトガル語、スペイン語などにも対応しています。

専門的な知識が必要なものや個人情報を伴う問い合わせは、担当の部署に転送します。

7 コールセンターの良い点

コールセンターは、担当の部署が分からない場合に、問い合わせの窓口として利用できます。

Ｑ＆Ａで回答できる内容であれば、担当の部署が複数にまたがる問い合わせにもコールセンターがワンストップで対応することができます。

また、役所が開いている時間に問い合わせができない場合でも、ＦＡＸやメールで24時間受付けています。

8 よくある質問 Q&A

さまざまな問い合わせのなかには、Ｑ＆Ａにないものもあります。問い合わせの多いものは、担当の部署にＱ＆Ａの作成を提案するなどして、住民からの問い合わせに答えられるように努めています。

Ｑ＆Ａは、足立区のホームページのなかにある「よくある質問 Ｑ＆Ａ」から自由に見ることができます。

● 電話によるお問い合わせが多かった項目（令和４年度）

１位　ごみの分別や出し方、粗大ごみの処分方法について
２位　戸籍の届出や証明書(戸籍謄本)の交付などの手続きについて
３位　成人の健康診断や予防接種などについて
４位　国民健康保険の保険証や保険料などについて
５位　保育園や小・中学校の手続きや、子どもの予防接種・手当など子育てにかんすることについて

コラム

「区民の声」で改善された例

足立区の「区民の声」によせられた意見によって、役所が改善した例を紹介します。

〈戸籍住民課の窓口での届出用紙の交付〉

○よせられた意見

戸籍の届出用紙をもらいに行ったところ、番号札を取って順番を待つようにいわれました。用紙をもらうだけなので、すぐに渡してもらえないでしょうか。

○改善された区民サービス

案内板に「婚姻届等の戸籍届出の用紙が必要な場合は、お申し出ください」と貼り紙をしました。申し出があったお客様に、フロアマネージャーは「戸籍届出は手続きが複雑なため、説明をお受けください」とお伝えします。そのうえで、お客様から「説明はいらない」等の申し出があった場合には、直ちに用紙をお渡しできるように改善しました。

〈区内公園の水道蛇口をオートストップ式に切り替えてほしい〉

○よせられた意見

先日区内公園で、水が出たままの状態の蛇口を見つけました。

このような事態は、ひねるタイプの蛇口では、起こり得ることですので、これから公園や公衆トイレなどの公共の蛇口をつくるとき、また取り替えを行うときは、押すと水が出て、一定時間で閉じる蛇口に切り替えてほしいです。

○改善された区民サービス

公園の新設やパークイノベーションによる改修のさいには、バリアフリーの考えにもとづき水飲みごと交換し、水栓もハンドルを押せば吐水し、５秒程度経過すると止水する蛇口に換えています。

また日常管理のなかでも、水飲みやトイレの手洗い場等は、原則自閉式水栓に順次改修していますが、綾瀬一丁目から綾瀬七丁目まで調査したところ３公園がひねるタイプの蛇口でしたので自閉式水栓に交換しました。

なお、自主花壇管理等で水を利用する場合は、要望に合わせて、旧式のひねるタイプの蛇口を採用している場所もあります。

はたらく人へインタビュー

区民の相談を受ける仕事

区民の声相談課の小岩井亮佑さん

Q1 どんな業務をしていますか？

A 無料相談やコールセンターの運営

区民のさまざまなお困りごとの相談にのっています。その相談内容によっては、税理士や弁護士などの専門的な知識を必要とする場合があります。その場合の専門相談の案内を私たちが行います。

また、無料の法律相談や税務相談などを開いているので、その運営も行っています。そのほか、区のコールセンター「お問い合わせコールあだち」や「代表電話」の運営も行っています。

Q2 仕事のやりがいを感じるときは、どのようなときですか？

A 感謝の言葉をいただいたとき

相談者に私が回答することもあります。私の回答だけで、悩みがすべて解決できるとは限りませんが、「話ができただけでも良かった」といってもらえると、相談を受けて良かったと思います。

また、相談が終わって、相談者から「ありがとう」といってもらったときに、区民のために役に立っているのだと実感します。

Q3 区役所の仕事の魅力

A さまざまな経験をいかすことができる

区民の声相談課に所属する前は、広報や福祉の部署ではたらいていました。広報の仕事をとおして、役所のさまざまな部署の仕事内容を知り、また、ケースワーカーとして、社会の問題や生きる知恵を学びました。そうした経験が、今の相談窓口の仕事に活かされています。役所は、数年ごとに部署を移りますが、すべての経験が新しい部署の仕事で役に立っているのです。

心がけていること

助言の意味を理解してもらうこと

相談を受けても、役所が直接問題を解決するわけではありません。たとえば、ご近所のトラブルについて相談を受けても、役所が両者の間に入ることはできないのです。解決するのは相談者自身であり、役所ができるのは、解決方法を一緒に考えることです。

役所の無料相談の役割を理解してもらうために、そのことを前もってきちんと説明するよう心がけています。

地域の情報を知らせる仕事

報道広報課

広報紙をはじめ、役所のホームページやSNSなどさまざまな方法を使って、地域の情報や魅力を発信しています。

地域の情報や魅力を知らせる

役所の広報とは、住民や報道機関（マスコミ）に向けて、地域の情報や魅力、税金や保険などの手続き、イベント情報などを知らせる仕事です。

 広報紙をつくる

広報紙とは、そのまちに住んでいる人たちに、さまざまなことを伝える情報紙です。報道広報課は、その広報紙の内容を考え、取材して文章を書き、印刷する前に内容にまちがいがないか確認して、決まった日に発行するのが仕事です。

広報紙づくりでは、カメラマンや紙面をデザインする会社、印刷工場など、民間の会社の協力も欠かせません。たくさんの人とやりとりするのも、報道広報課の仕事です。

 ホームページやSNSで配信する

インターネットを使って、役所の仕事を発信します。役所のホームページには、住民が知りたい情報をのせていて、つねに新しい情報に書きかえています。

また、X（旧ツイッター）やフェイスブック、インスタグラムなどのソーシャルネットワークサービス（SNS）も使っていて、役所の取り組みや施設の紹介、地域のイベントなどの情報を発信しています。

3 メールやライン(LINE)も使っています

最近は、とてもたくさんの人がスマートフォンやタブレット端末を持ち歩いています。いつでもどこでも、すぐに情報を調べられるデジタル機器は、住民にすばやく情報を伝えることができる、とても便利な道具です。特に地震や台風など、急いでお知らせしたい緊急情報を伝えるのにすぐれています。

4 報道機関（マスコミ）にも情報発信

新聞やテレビ、ラジオ、雑誌など、社会に広く情報を伝える役目をもっているのが報道機関（マスコミ）です。役所は、報道機関にも情報を伝えます。なぜなら、報道機関をとおして、日本国内はもちろん、世界中に情報を伝えることができるからです。役所の情報をまとめて、報道機関に発表することも、報道広報課の大事な仕事のひとつです。

足立区の公式ホームページ

広報紙づくりについてくわしく知ろう

広報紙は、決まった日に発行します。そのためには、何カ月も前から準備し、スケジュールに合わせて仕事を進めます。足立区の広報紙「あだち広報」が、どのようにしてつくられているかを紹介します。

5 「あだち広報」とは

足立区では毎月10日と25日（1月は1日）に発行しています。原則、12ページのタブロイド判サイズで、約35万部を印刷しています。紙だけでなく、ホームページでも読むことができます。

6 どんな内容にするかを決める（企画）

発行の３カ月前から、どんな内容にするかを考え始めます。内容が決定したら、その内容に当てはまる部署に相談して、協力をお願いします。

また、デザイン会社と、どのようなレイアウトにするか、打合わせをします。とくに表紙は、読者に手にとってもらえるようなデザインをめざして、時間をかけて決めていきます。

「あだち広報」は、役所などの公共施設においてあります。また、シルバー人材センターにお願いして、各家庭に配布してもらっています

7 取材して原稿を書く

広報紙の原稿は、部署の職員が書くものと、報道広報課が取材して書くものがあります。

部署で原稿を書いてもらう場合は、どんな内容にしてほしいかを伝えて、締め切りまでに原稿をもらいます。

取材する場合は、取材先と日時などの調整を行い、実際に取材したら、その原稿を書きます。写真は、職員が撮る場合もあれば、プロのカメラマンにお願いすることもあります。

8 レイアウトを確認する（校正）

原稿を紙面にはりつけたものをレイアウトといいます。レイアウトはデザイン会社が行います。

レイアウトができあがったら、もれている原稿はないか、内容は正しいか、漢字にまちがいがないかなどを、じっくり確認します（校正）。また、原稿を書いた部署や、取材先にも校正をお願いします。

ここで見落とすと、まちがった情報が印刷されてしまうので、時間をかけて確認します。

9 印刷・発行する

完成したレイアウトのデータを印刷会社に送り印刷し、広報紙が完成します。

● 広報紙ができるまで

①企画を立てる
↓
②取材・原稿作成
↓
③レイアウト
↓
④校正
↓
⑤印刷・発行

「あだち広報」はこんな紙面

足立区の広報紙「あだち広報」には、どのような情報がのっているのでしょうか。

10 地域の情報がぎっしり

広報紙には、以下のような情報がのっています。

・特集：特定のテーマについて、くわしく紹介する
・もよおし：講座、講演会、コンサート、スポーツなど
・生活情報：子育て、教育、健康、税金、年金、福祉、仕事、ボランティア、人材募集など
・区からのお知らせ：区の事業や報告など
・広告：地元の会社の広告など

● 表紙

2023年6月10日号の表紙です。表紙は、広報紙の顔です。区民に興味をもってもらえるような表紙をめざして、時間をかけてつくっています

● 情報ページ

多くの情報をのせるため、限られた文字数のなかで、必要な情報を伝えるコツがいります

● 特集ページ

2023年2月10日号では、地域のミステリーを探るという特集をのせました。写真やイラストを使って、楽しく読んでもらえる工夫をしています

はたらく人へインタビュー

広報紙をつくる仕事

報道広報課の吉野百香さん

Q1 どんな業務をしていますか？

A 「あだち広報」を担当

「あだち広報」は、区民のみなさま向けの広報紙です。区民のみなさまに伝えたい、伝えるべき情報をまとめて記事にしています。

毎月2号発行しているうち、10日号では、その時期に合わせた特集記事をのせています。区の予算や取り組みを紹介したものや、地域の楽しい話題まで、内容はさまざまです。

広報紙を配っていただくシルバー人材センターの方の手配も、私たちの仕事です。

Q2 仕事のやりがいを感じるときは、どのようなときですか？

A 完成品を手にとった瞬間

毎号、愛情をこめてつくっていますので、その広報紙が印刷されて、完成品を手にとった瞬間に、とてもやりがいを感じます。私は、これまで50号以上の広報紙を担当してきました。どの号も思い入れがあります。そうして、完成したときは、本当にうれしくなります。

これからも、区民のみなさまの役に立つような広報紙をつくっていこうと、やる気もわいてきます。

Q3 印象に残ったことは？

A 特集記事を「おもしろい」と思っていただけたこと

2023年2月10日号の、地域のミステリーを探るという特集は、私が提案した企画です。おもしろい特集にしたかったのですが、少し不安もありました。ですから、区民の方から「おもしろかった」と感想をいただいたことで、安心しました。

心がけていること

読む人が理解できる原稿を書くこと

原稿を書くときに大切なことは、読んだ人が理解できる文章であること。原稿を書く私が分かっていても、読む人が分からなければ、良い原稿とはいえません。そこで、自分が書いた原稿は、必ずほかの人に見てもらい、誰が読んでも理解できる文章にするよう心がけています。

また、区民のみなさまに伝える情報なので、絶対にまちがいがないようにしなければなりません。校正するときも、「もしかしたら、まちがっているかも」という目で確認するようにしています。

まちの計画づくりにかかわる仕事

基本計画担当課

まちづくりを進めるときは、将来、どのようなまちにしたいかを考えて計画を立てます。その計画をもとに、さまざまな事業が行われます。

基本計画の見直しと次の計画を考える

足立区では、数十年先の将来のまちの姿を示した「基本構想」をつくります。これを数年ごとの「基本計画」で、地域や時代の変化に合わせて調整していくのです。

基本計画担当課は、新しい基本計画をつくるために会議を開いて、現在の基本計画を見直したり、資料をまとめたりする部署です。

1 基本計画審議会を運営する

役所で大切な物事を決めるときには、さまざまな立場の人たちから意見を聞き、調査審議をするための「審議会」を開きます。

基本計画審議会は、地域の議員、学識経験者、地域の自治会連合会、医師会などの団体、公募で選ばれた住民、区の職員などから構成されます。基本計画担当課は、審議会の日程を提案して、会長がメンバーを集めて会議を進行します。

また、審議会で出た、地域の将来についての意見と、役所内で出た会議の内容を合わせてまとめていきます。

2 役所内の作業部会をまとめる

住民の暮らし全般やまちづくりを計画する基本計画は、役所のあらゆる部署にかかわっています。そのため、いろいろな部署の担当者が集まって、基本計画づくりを話し合う作業部会が開かれています。この部会を準備し、各部署の意見をまとめるのも基本計画担当課の役目です。

3 資料や原稿づくりを行う

審議会や役所内の作業部会から出されたさまざまな意見をまとめたり、地域の状況が分かるデータを集めたりして、資料をつくります。

また、基本計画を説明するための原稿をつくる仕事もあります。

● 基本計画審議会の様子

審議会は全体会と分科会が計11回行われます。足立区では、若い人（20代）も会に参加しています

基本計画についてくわしく知ろう

基本計画を知るために、まず市区町村の計画の仕組みを理解しておきましょう。

 まちづくりの計画の仕組み

市区町村のまちづくりを考えるときに、どのようなまちにしたいかという将来像を長期的な展望に立って描き、それを実現するための考え方を示したものを、「基本構想」といいます。つまり、豊かな地域社会をめざすための市区町村の憲法のようなものです。

そして、その基本構想を実現するために、具体的に誰が、どのようなことをすれば良いかを決めたものが「基本計画」です。

基本構想や基本計画は、市区町村の状況によって異なります。自分の住む地域はどのような基本構想をもっているのか、どんな基本計画をつくっているのかを調べてみましょう。

5 足立区の基本構想と基本計画

ここでは、足立区の基本構想と基本計画を見てみましょう。

足立区では、基本構想のなかで、めざす将来像を「ひと・くらし・まち・行財政」の４つの視点で決めました。そして、その実現のために、基本計画をつくっています。

まず、基本計画では、基本的な方向性としてどんな取り組みを行っていきたいかを考え、分野別計画などのくわしい計画をつくります。その計画をもとに、役所の担当部署が仕事を行っていきます。

6 基本計画の期間

現在の足立区の基本構想と基本計画は、平成28年度につくったものです。基本構想は、長期間の将来像を考えたものなので、実際にはさらに短い基本計画を、８年ごとに区切ってつくります。なぜなら、あまり長い計画をつくってしまうと、その間に、地域の人口や生活、環境などが変化する可能性があるため、そのときのまちの状況に合わせられるようにするためです。

次の基本計画はどんな計画になるの？

基本計画審議会や役所内で議論を重ねているところですが、みんな一人ひとりの「やりたいこと」を応援し、足立区にかかわるみんなが幸せになれるまちをめざしていくということが議題のひとつとなっています。

また、大人だけでなく、子どもたちからも「どんなまちになってほしいか」などの意見を聞くことで、子どもや若い人も主役としてまちづくりにかかわってもらうことができる取り組みを進めています。

次の基本計画をつくるためには？

足立区の今の基本計画は、平成29～令和６年度を計画期間としています。現在、令和７年度からの次期計画をつくるために、さまざまな準備が行われています。

7 次の基本計画のための部署

令和７年度からの基本計画をつくるために、令和５年度から準備を始めます。まず、準備を担当する部署をつくりました。それが、基本計画担当課です。基本計画担当課には、専属の職員がいますが、役所の部署ごとに担当者を決めて、次の基本計画にかんする資料をつくったり、会議に参加したりします。

基本計画担当課は、次の基本計画ができあがったら、その役目が終わるので、なくなります。つまり、期限のある部署というわけです。

8 基本計画を見直す

現在、基本計画にもとづいて行われている事業の結果を見ながら、このままのやり方で進めていって良いか、もっと変えたほうが良いのではないかなどの見直しを行います。

9 基本計画審議会を開く

基本計画は、まちの将来にかかわることなので、役所だけで決めていくものではありません。住民や地域にかかわる人たちと一緒に考えていくことが大切です。

そこで、足立区では、地域にかかわるさまざまな立場の人から意見を出してもらうための、基本計画審議会という場をもうけています。

審議会では、全員が集まる会議のほか、４つの視点ごとに話し合う会議も行います。これらの会議の内容は、役所のホームページに掲載されるので、だれでも会議の内容を知ることができます。

10 基本計画を知ってもらう活動

自分のまちに、基本構想と基本計画があるということを、知らない住民もいます。たとえ知っていても、計画を説明した文章が難しくて、イメージがわかないという人もいます。

そこで、足立区では、基本構想と基本計画を分かりやすく説明した冊子をつくっています。冊子を読んで、まちづくりに興味をもってもらうことが、基本計画をより良くしていくためにもなります。

● 足立区の基本計画を読む冊子

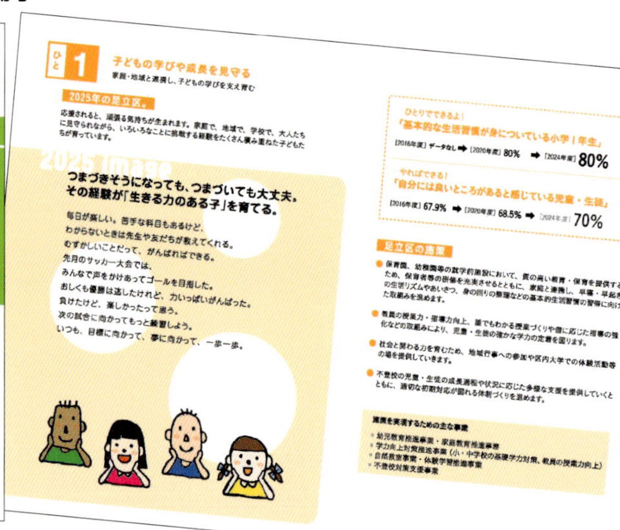

『2025年の足立区を知る「16のはなし。」』という小冊子
イラストや写真をたくさん用い、足立区の将来を解説しています

はたらく人へインタビュー

基本計画を準備する仕事

基本計画担当課の山崎悠生さん

Q1 公務員をめざしたきっかけは？

A 大学で社会保障の法律を学んだこと

大学で、社会保障にかんする法律を学び、行政の役割の大きさと大切さを知りました。私は直接、住民の声を聞きながらはたらきたいと思い、区役所を選びました。

Q2 どんな業務をしていますか？

A 基本計画をつくるための仕事

私の仕事を具体的にあげると、足立区基本計画審議会の運営、役所内の基本計画策定会議の運営、現在の基本計画の評価、次の基本計画を考えるためのデータの収集と分析、計画内容のとりまとめや原稿作成などです。

難しい言葉が多いですが、すべて次の基本計画をつくるための仕事です。

Q3 とくに気をつけていることは？

A 話をよく聞き、受け止めること

今の部署に配属される前は、健康づくりや、保育園の管理・運営を担当していました。どの課でも、担当者として、自分の意見を伝える場面が多くありました。しかし、現在の基本計画担当課は、審議会やほかの部署の担当者などから、さまざまな意見を聞く立場になりました。会議の日程を決めるだけでも、いろんな要望を聞きながら調整しなければならないので、なかなか大変です。

今は、相手の意見をよく聞き、受け止めて、それらをまとめていけるよう心がけています。

心がけていること

基本計画は、公務員ならではの仕事

足立区では、審議会を開いて基本計画をつくるというのは、初めてでした。私の仕事も、すべてが初めてのことばかりで、前例がない分、自分が考えなければならないという責任感もあります。また、いろいろな部署の協力が必要なので、つながりが強くなります。

まち全体に関係する大切な計画づくりにかかわる仕事は、公務員でなければできないものなので、責任の大きさを感じています。この経験が、次の配属先でもいかされると思っています。

市区町村の最高責任者の仕事　区長

全国の市区町村には、市長、区長、町長、村長という最高責任者がいます。市区町村長は、それぞれの地域で、選挙によって選ばれます。

まちづくりの計画、予算を考える

市区町村長は、まちをより良くするために、先頭に立ってはたらくまちのリーダーです。

1 役所内での仕事

市区町村長は、住民が豊かで安心・安全なまちで暮らせるよう、役所の職員と一緒に計画を立て、それを実行するための予算を考えたり、市区町村のルール（条例）などを考えたりします。そうして、役所内の会議でまとめた予算案や条例案などを、市区町村議会に提出します。

2 議会における仕事

市区町村議会では、提出した予算案や条例案などに対し、議員からさまざまな質問や疑問などが出されます。市区町村長は、行政側のトップとして、それらに対して答え、議員と討論を行います。そうして、議会で予算案や条例案が決まったら、それを実際に行う役所の担当部署に指示を出し、具体的な仕事が始まります。

3 地域での仕事

地域では、スポーツ・文化、福祉などさまざまなイベントが開催されています。市区町村長は、そうしたイベントに、市区町村の代表として出席します。開会式で挨拶したり、ときにはイベントに参加して住民と交流を深めることもあります。イベントの参加は、主催する団体との交流を深めたり、住民の声を直接聞いたりすることができる大切な場でもあります。

また、地域の顔として全国に出向き、地域の特産品や産業などのＰＲを行うことも、市区町村長の仕事といえます。

区長みずからまちに出て広報活動を行う

さまざまな課題に応じて考える

4 たとえば「給食」の課題

さまざまな課題を解決するのが重要な仕事のひとつです。たとえば、学校で食べている給食。この給食も平成20年の足立区の調査では、小・中学校で11.5%も食べ残しがありました。そこで、「おいしい給食日本一」をめざして、もっとおいしく給食を食べてもらうための取り組みを始めました。

まずは、どうして食べ残しがあるのか、どうしたら食べ残しを減らせるのかなどを調べて、調べた内容をもとに、いつまでに・どのように・だれが・何を行うかなどの計画を立てることが必要です。

給食をつくるまでには、食材を買ったり調理したりなど、お金（予算）が必要です。制限なく使えれば良いですが、給食だけに使えるわけではありませんので、どのくらいのお金（予算）を使うかを考えます。

計画や予算は、職員と一緒に考え、最終的には区長が決定します。

計画の実現のためには、子どもたちの意見はもちろん、学校の先生や栄養士、調理する人、農家さん、保護者など、さまざまな方々と一緒に進めますので、よく話し合うこと、分かりやすく説明して協力をお願いすることも重要です。すべての方と直接話すことはできませんが、職員が話した内容を確認したり、お会いする機会がある方とは、直接お話をしたりしています。

取り組みは始めたら終わりではなく、本当に効果があるのか、現状はどうかなどの確認を行い、見直し・改善を行うことも欠かせません。

令和５年度の調査では、小・中学校の食べ残しは3.5%まで減ってきました。食べ残しを減らすのとならんで、栄養のバランスや望ましい食習慣を身につける、食材や調理のつくり手へ感謝するなど、「食」の重要性に気づく良い機会となるよう、引き続き「おいしい給食」に取り組んでいきます。

● 足立区長のある１日

7：30	区役所に登庁
7：30～8：30	資料の確認、書類の決裁（可否の判断を行う）
8：30～9：30	各部署の部長と、区の方針について検討
9：30～10：00	「区民の声」の内容を確認 ポスター、チラシのデザイン確認 原稿書き
10：00～10：30	来客の対応を行う
10：30～12：00	予算査定（部署から出された予算の要求額について、適正かどうかを検討・判断する）
12：00～13：00	昼食、資料の確認、書類の決裁
13：00～13：30	来客の対応を行う
13：30～14：00	資料の確認
14：00～16：00	外出して、会議や式典に出席
16：00～17：15	区役所に戻り、各部署から事業方針の説明を受け、相談に対応
17：15～18：30	資料の確認
19：00	区役所から退庁

資料の確認や区の方針の検討は、たとえば、本当に食べ残しを減らすことにつながるのか、資料が皆さんに分かりやすいかなどの視点で行います

「区民の声」は、メールなどで住民から区長によせられます。届いた「声」は、担当部署で回答案が作成され、区長が内容をチェックしたうえで返信されます。区民の声の内容が「給食」に関連した内容であれば、その「声」を「おいしい給食」に生かすこともあります

外出先の会議や式典に出席するさいは、関係する方々と会って、皆さんの実情や要望などを聞く良い機会となります

はたらく人へインタビュー

区長としての仕事

区長の近藤やよいさん

Q1 区長になろうとしたきっかけは？

A さまざまな政策・対策を実現するために

私は、平成9年7月から平成19年3月まで、東京都議会議員をつとめていました。その都議会議員になるための選挙に立候補したとき、当選したら実施すると約束することがら（選挙公約）を掲げ、都議会議員になってからは、その公約を実現させようと取り組みました。しかし、いろいろな方法ではたらきかけてもなかなか進まず、議員ひとりができることには限界があると感じました。

そうした経験から、私は自分で予算と事業を決めることのできる区長となって、議員時代に実現できなかったさまざまな政策・対策を形にしたいと考えました。たとえば、保育園の待機児童ゼロを通じて、女性の社会進出を後押ししたり、大学や大学病院の誘致によりまちが大きく変わるきっかけをつくったりすることは、区長としてのやりがいにつながっています。

Q2 どんな業務をしていますか？

A 大きな仕事は、予算案をまとめること

区長の仕事は多岐にわたりますが、一番大きな仕事は、足立区の1年間のお金の使い道をまとめた予算案を区議会に提出することです。足立区の1年間の予算額は約3,300億円です。この予算を、誰に対して、どのように、いくらくらい使うのかを細かく決めるのです。このお金の使い方に、「どのような区にしていきたいか」という思いが込められているので、とても大切な仕事です。

Q3 とくに力を入れている仕事は何ですか？

A 足立区が抱える4つの課題の解決に取り組む

足立区が魅力的なまちに発展していくためには、「治安、学力、健康、貧困の連鎖」という4つの課題を解決しなければなりません。それぞれの課題に対して、さまざまな取り組みを行っています。たとえば、貧困の連鎖を断ち切るための取り組みとして、返済不要の奨学金など、義務教育期間までの支援だけでなく、経済的に自立するための切れ目のない、継続できる支援策を実施しています。

長年にわたる取り組みの成果はあらわれてきており、「まちを誇りに思う」区民の割合も増加しています。

Q4 区民から信頼を得るために必要なことは？

A 区民に隠さず情報を公開すること

私は、区民に対して、常に誠実であることを心がけています。とくに、職員が起こしたトラブルや、

事件、事故などを積極的に公表しています。役所にとって都合の悪い情報こそ、隠さず出していく。その姿勢が、区民の信頼を得る第一歩だと考えているからです。

Q5 区民とのつながりを深めるために心がけていることは？

A 顔の見える関係を築くこと

区民と顔の見える関係を築くことが大切です。そのために、ホームページを通じて区民の方からよせられる意見には、すべて目を通しています。また、地域のイベントなどには、できるかぎり参加して、コミュニケーションをとるよう努めています。

Q6 役所ではたらく人に求めることは何ですか？

A 「どうしたらできるか」を考える人に

難しい仕事に直面したとき、始めから「できない」と決めつけるのではなく、「どうしたらできるのか」を考え、常に前向きに仕事に取り組んでほしいと願っています。

Q7 区長を17年間続けることができた秘訣は何ですか？

A 地域の変化を実感できること

役所が取り組んでいる事業がどのように進んでいるのかを実感できること、そして、その取り組みの成果としてまちが良い方向に変化していくのを、この目で見ることができること。それが、私が長年にわたり区長を続けてこられた理由です。

Q8 区長が考える足立区の魅力とは？

A 自然に恵まれた環境

足立区は、四方を川に囲まれた、自然豊かな地域です。特に広々とした荒川河川敷は、多くの区民の憩いの場所として親しまれています。私は、その河川敷のそばで生まれ育ちましたので、ふるさと足立の原風景といえばここです。

空が広いため、雲の流れを見ているだけでも気持ちが落ち着きますし、太陽が刻々と地平線に隠れていく様子を目の当たりにできるのも、足立ならではの贅沢かもしれません。

四方を川に囲まれている環境は長所でもありますが、一方で、大雨による河川の氾濫の危険など、水害に対して弱いという短所にもつながります。区民の命を守るために、水害対策にも積極的に取り組んでいます。

心がけていること

区民の目線、区民の感覚を忘れない

常に、区民の方々の目線や感覚で考え、区民の方からの大切な「声」を、区の政治に反映させていくことを心がけています。区民から年間約3000件よせられる「区民の声」は、私たち職員に、普段、当たり前と信じて疑いもしていないことについて、多くの「気付き」を与えてくれる、貴重な機会にもなっています。

さくいん

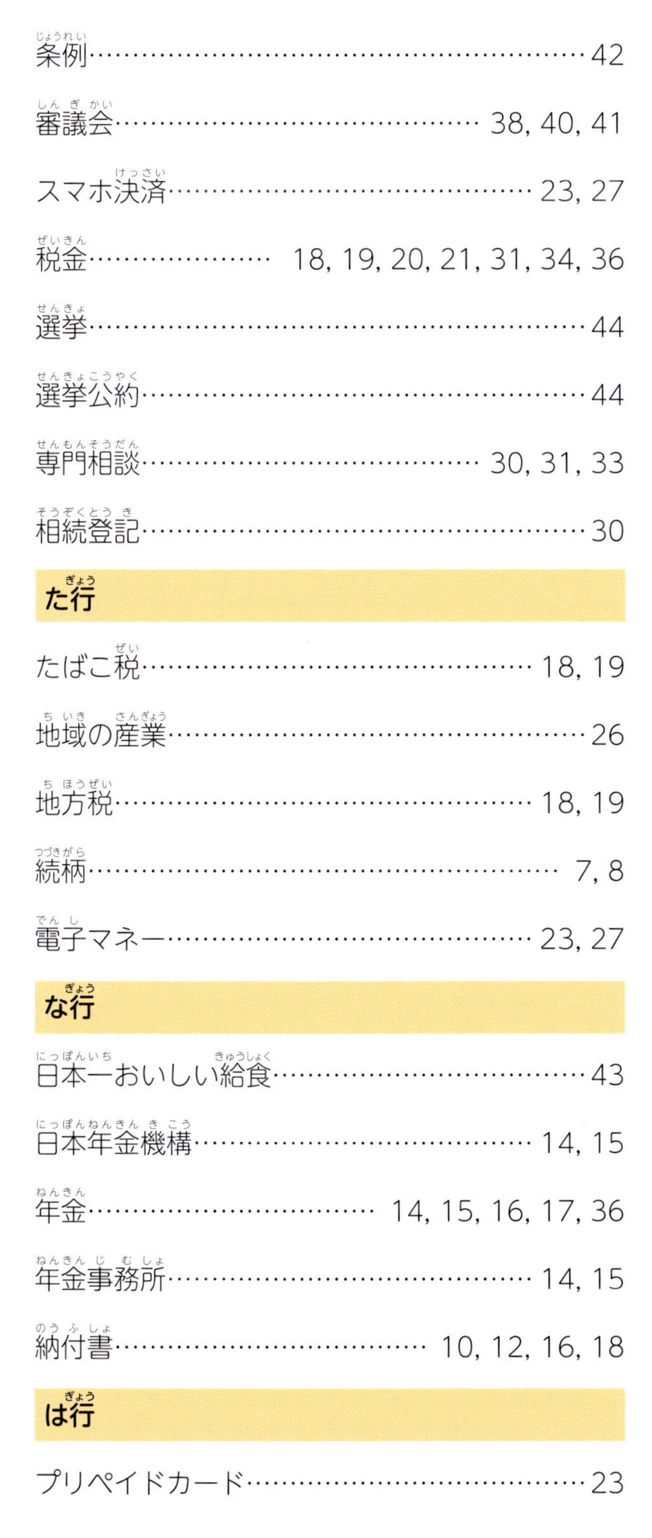

た行

な行

は行

まやらわ行

協力 **足立区役所**（あだちくやくしょ）

- **編**　お仕事研究会
- **編集**　ニシ工芸株式会社（余田雅美、佐々木裕、髙塚小春）
- **装丁・デザイン**　ニシ工芸株式会社（安部恭余）
- **企画**　岩崎書店編集部
- **イラスト**　福本えみ、PIXTA
- **写真協力**　足立区報道広報課

＊この本に掲載されている情報は、特に記載のない場合、2024年3月現在のものです。

まちをつくる　くらしをまもる　**公務員の仕事　1. くらしの窓口**

2025年1月31日　第1刷発行

編　お仕事研究会
発行者　小松崎敬子
発行所　株式会社岩崎書店
〒112-0014　東京都文京区関口2-3-3 7F
電話（03）6626-5080（営業）／（03）6626-5082（編集）
ホームページ https://www.iwasakishoten.co.jp
印刷　株式会社光陽メディア
製本　大村製本株式会社

ISBN 978-4-265-09219-2　48頁　29×22cm　NDC318

Published by IWASAKI Publishing Co., Ltd.　Printed in Japan
ご意見・ご感想をお寄せ下さい。e-mail:info@iwasakishoten.co.jp
落丁本・乱丁本は小社負担でおとりかえいたします。

まちをつくる くらしをまもる

公務員の仕事

全5巻

1. くらしの窓口

協力：足立区役所　編：お仕事研究会

2. 福祉・健康関連の仕事

協力：足立区役所　編：お仕事研究会

3. まちづくりの仕事

協力：足立区役所　編：お仕事研究会

4. 教育・子ども関連の仕事

協力：足立区役所　編：お仕事研究会

5. くらしをまもる仕事

協力：足立消防署　編：お仕事研究会

岩崎書店